D1268074

MA VIE VOLÉE

57 ans sans voir la France

Renée Villancher

MA VIE VOLÉE

57 ans sans voir la France

Récit présenté par Nicolas Jallot

ÉDITIONS FRANCE LOISIRS

Édition du Club France Loisirs,
avec l'autorisation des Éditions Belfond

Éditions France Loisirs,
123, boulevard de Grenelle, Paris
www.franceloisirs.com

ISBN : 2-7441-7676-1

À mes enfants
À Françoise Robardet

Préface de Nicolas Jallot

Auteur du livre et du film *Piégés par Staline*[1], j'ai rencontré Renée Villancher par hasard, au cours de la longue enquête qui m'a entraîné aux quatre coins de l'ex-Union soviétique, de 1999 à 2002, à la recherche de ces Français d'origine russe ou mariés à des Russes, qui avaient suivi des parents ayant fait le choix de venir vivre en Union soviétique, au lendemain de la Seconde Guerre mondiale.

Lorsque j'ai retrouvé Renée Villancher en février 2002, je ne me doutais pas que nous nous reverrions si souvent et que nos destins se lieraient pour quelques mois. Loin d'être un appendice à mon précédent ouvrage *Piégés par Staline*, ce livre raconte l'incroyable destin d'une femme, d'une Française, qui fut bloquée derrière le rideau de fer pendant plus de 57 ans (686 mois) ; soit exactement 20 919 jours sans voir la France.

Son récit, écrit à la première personne, n'a pas la prétention d'apporter un éclairage historique sur cette période très particulière de l'après-guerre,

---

1. Belfond, 2003.

mais raconte, tout simplement, comment une femme, une mère, victime de l'amour, prise au piège par la grande histoire, a survécu à l'enfer soviétique en gardant toujours l'espoir de revoir un jour sa terre natale.

À travers son témoignage inédit, c'est aussi un certain portrait de l'URSS et de la Russie profonde qui apparaît au fil des pages. Une description de la campagne, isolée et oubliée, comme il en existe peu.

Cet ouvrage met également en valeur un formidable mouvement de solidarité spontané, exemplaire, qui manque tant dans nos sociétés d'aujourd'hui. Je veux parler bien sûr de l'élan de soutien à Renée Villancher qui a vu le jour dans le Jura, sous l'impulsion d'une élue de la petite commune de Cousance, Françoise Robardet. Grâce à cette ardeur et à de généreux donateurs ainsi qu'aux éditions Belfond, Renée Villancher a pu réaliser le rêve de sa vie : revoir sa patrie.

Au soir de sa vie, Renée Villancher nous a confié ses mémoires en nous avouant : « *J'ai écrit et je vous raconte ma vie, mais j'arrive pas à croire que tout ça m'est arrivé. Et pourtant, c'est la vérité. Cauchemar.* » Et pourtant… Renée a mis dans ce récit toute son énergie et tout son cœur, comme si raconter et écrire sa vie allait enfin soulager ses chagrins et la décharger d'un fardeau trop lourd à supporter pour elle.

Si je l'ai très longuement écoutée, j'ai aussi beaucoup parlé avec elle afin de l'aider à retrouver la mémoire, à clarifier ses propos et à rechercher ses souvenirs. Ce fut souvent un véritable travail de fouille archéologique au fin fond de sa mémoire et au plus profond de son âme. Pour certains événements dont elle ne se souvient plus (ou ne veut plus se souvenir), nous avons eu recours aux lettres qu'elle a adressées à sa « *sœurette* », Germaine Sergent, qui a eu la gentillesse de me les confier. Nous avons également utilisé sa correspondance avec son frère Louis, ainsi que divers témoignages que j'ai recueillis ici et là. De Cousance et Orbagna à Solntsevo et Koursk.

Nous avons enfin respecté scrupuleusement les passages entiers que Renée Villancher a écrits seule et qu'elle m'a fait parvenir ou qu'elle m'a remis. Ses propos et ses interprétations lui appartiennent et nous n'avons en rien modifié son style, ses expressions très personnelles, sa pensée et son analyse.

Comme aimait le dire Georges Duby : « *L'Histoire se fait avec de l'émotion* », alors, le récit de la vie de Renée Villancher, sans être un livre d'histoire, s'inscrit dans la catégorie des témoignages pour l'histoire, et le destin de « Renée la Française » est trop poignant pour laisser quiconque indifférent. Renée rendue aux siens...

Nicolas JALLOT

Remerciements

Cet ouvrage n'aurait pas été réalisable sans l'accord, l'aide et la collaboration des filles de Renée Villancher, Luba (Claudine), Zoïa et Véronique, de ses fils Édouard et Valéry et de ses petits-enfants. Eux tous, comme nous, souhaitent ici remercier de tout cœur Germaine Sergent, son fils Serge, leurs enfants et petits-enfants pour ne jamais avoir oublié Renée dans son petit village perdu dans le fin fond de la steppe russe. Leur attitude vis-à-vis de Renée est exemplaire tout comme celle de Françoise Robardet, présidente du comité de soutien à Renée Villancher, et des membres de ce comité, créé un soir de mars 2003 dans la petite commune de naissance de Renée, à Cousance dans le sud du Jura. Bravo et merci à eux tous, Annie, Françoise G., Catherine, Françoise, les « amis » du château médiéval de Chevreaux, MM. les maires de Cousance, d'Orbagna, de Maynal et M. le député-maire de Lons-le-Saunier, Jacques Pélissard, ainsi qu'à tous les membres du comité et aux donateurs bienfaiteurs[1].

1. Leurs noms figurent en annexe.

Remerciements chaleureux également à Gilles Thion, président-directeur général de la société de production Ampersand, et à ses collaborateurs Jean Dufour et Fabrice Estève. Ils ont été le moteur du mouvement qui précipita le retour de Renée Villancher en France. Merci à France 3, Planète et à la chaîne de télévision russe ORT, qui se sont associées au projet. Et, évidemment, à Xavier Deleu, Manuel Blanche, Karim Talbi (coordinateur exécutif de coproduction en Russie) et Christian Vignal pour leur amitié et leur collaboration. Aux historiens Pierre Rigoulot et Georges Coudry pour leur remarquable travail. Merci à M. Laurent Bili, conseiller à la Présidence de la République, pour sa disponibilité, ainsi qu'à MM. Warnery et Denier, du Quai d'Orsay, pour leur humanisme et leur efficacité.

Merci à Xénia et Nikita Krivochéine pour leur soutien de chaque instant ainsi qu'à Daniel Novitchkov, Georges Karev, Elena Pavel, Gérard Tronel, Youri Greshko, Raymond Chevin pour leur collaboration et leur aide précieuse. Et à René Tribut pour son professionnalisme.

Sans eux, cet ouvrage n'aurait pu voir le jour. À tous : MERCI.

Nous aimerions également exprimer notre immense gratitude à Delphine Mozin pour avoir initié ce livre.

Renée VILLANCHER et Nicolas JALLOT

Avant-propos

Je vais vous raconter la dure vie que j'ai subie. Un cauchemar. Toute ma vie j'ai très pleuré. Toute ma vie ou presque toute n'a été que cauchemars.

Malheureusement, j'ai déjà beaucoup oublié et c'est très très difficile pour moi de vous raconter la pauvre vie que j'ai subie.

Au début, lorsque je suis arrivée en Union soviétique, j'ai tout écrit, ce qu'était ma vie. Chaque soir, j'écrivais mon journal dans lequel je racontais ma journée et chaque soir je pleurais. J'écrivais pour me souvenir. Malheureusement, ce journal de mes premières années en URSS a été détruit par mon mari qui était très fâché de le découvrir et de lire tout ce que j'avais écrit : « *Tu veux tous nous faire envoyer en camp ? Mais tu es folle, tu es folle !* » criait-il avant de tout brûler. Mes cahiers et aussi presque toutes les photos que j'avais apportées avec moi de France. Ce jour-là, je me souviens, j'étais particulièrement triste et à bout de nerfs. C'est la première fois que j'ai eu envie de mettre fin à ma vie. Mais ça n'a pas été ainsi.

Dieu en a décidé autrement et j'ai continué à vivre dans ce village de l'Union soviétique où j'habite encore.

Quand je suis venue en Russie j'étais très jeune. Je n'ai pas compris que je faisais une erreur. Une grande faute. Ma vie a été... cauchemar. Il aurait fallu rester avec ma fille et ma mère dans ma patrie... Bien sûr, quand j'ai compris, j'aurais voulu repartir dans ma patrie, mais ce n'était plus possible. Il était trop tard. La frontière était fermée et le « rideau de fer » s'était refermé derrière moi. Et plus tard, quand c'était possible, beaucoup plus tard, des années et des années plus tard, j'aurais pu partir et je voulais repartir, mais je n'avais pas assez d'argent. Je ne gagne que soixante francs par mois. Ce n'est pas assez pour rentrer dans ma patrie. « *Des fois, je pense que je ne peux pas partir en France, et des fois, je voudrais bien sûr la revoir* », que je disais jusqu'en juillet 2003...

Depuis, grâce à des amis du Jura et de la France entière, j'ai vécu les plus beaux jours de ma vie. Cinquante-sept ans après avoir quitté ma patrie, j'ai pu la revoir et cela a été mon plus grand bonheur de toute ma vie. Maintenant, je sais que je peux mourir ; ce n'est plus important. Je suis vieille.

Bien sûr, en lisant ces lignes vous pensez que je suis idiote. Que j'ai été idiote. C'est sans doute vrai, mais quand on a dix-huit ou dix-neuf ans... que la guerre vient de se terminer[1] et que l'on rencontre un beau jeune homme, n'a-t-on pas le droit d'être idiote ? Je n'avais pas beaucoup d'éducation, mon enfance n'avait pas été très heureuse, il y avait eu la guerre et je suis venue en Russie avec ma fille, ma maman et mon mari parce que je l'aimais. Je l'aimais et je suis venue avec lui dans sa patrie. Par amour pour ce beau Russe, je suis venue...

Renée VILLANCHER,
Solntsevo (Russie), février 2004.

---

1. Afin de comprendre le contexte historique très particulier de l'après-Seconde Guerre mondiale et l'image idyllique que les Français avaient de l'Union soviétique victorieuse, nous vous conseillons de vous reporter à *Piégés par Staline*, l'histoire des milliers de citoyens français retenus derrière le rideau de fer, Belfond, 2003 (*NdE*).

Chapitre 1

Une enfance difficile
(1927-1945)

Je suis née à Cousance, dans le Revermont, le sud du Jura, le 31 juillet 1927, par une chaude soirée d'été orageuse. Mes parents n'habitent pas dans le bourg de Cousance proprement dit, mais un peu en dehors. Comme apparemment tous les Villancher depuis quelques générations. Mon père est fermier et ma maman s'occupe de ses enfants, et aussi du potager et de la maison. Je ne suis pas vraiment fille unique. J'ai deux demi-sœurs, Marie Suzanne et Jeanne Antoinette Bessonnat (du nom du premier mari de maman), et un demi-frère, Louis, qui porte le nom de jeune fille de maman, Moureau. Mes deux sœurs sont beaucoup plus âgées que moi et j'ai dix ans de moins que Louis. Presque onze. Alors que je n'ai que deux ans, arrive un grand malheur : mon papa meurt. Malheureusement, je n'aurai jamais de souvenirs de lui. D'après ce que l'on m'a dit, c'était un homme très bien, mais qui s'est fait « *embobiner* » par maman qui savait s'y prendre avec les hommes.

Après l'enterrement, maman décide d'aller vivre à quelques kilomètres de là, chez des membres de sa famille, à Orbagna. C'est dans ce joli petit village de pierre que je vais grandir. Mes premiers souvenirs sont d'Orbagna où à l'âge de cinq ans je fréquente l'école communale où je me rends dans mes sabots de bois chaque matin. Il faut aussi aller à la fromagerie, tirer l'eau à la fontaine et aider maman dans les tâches ménagères. Quand la saison est à la terre, j'aide aussi maman à bêcher, à ramasser les légumes du jardin potager et pour la cueillette. À vrai dire, la vie n'est pas désagréable, mais pas facile non plus. Je ne sors jamais de mon village. Nous vivons là plutôt pauvrement. L'hiver, le froid nous bloque et nous restons calfeutrés à la maison. Autrement, il y a l'école bien sûr et les visites de mon frère Louis, alors apprenti à Poligny, qui égaient notre vie. Bien sûr, j'ai des camarades d'école, et les seuls rayons de soleil de ma vie d'enfant viennent d'eux et du temps passé en classe. Je garderai toute ma vie d'excellents souvenirs d'Orbagna et de mes années d'école, même si Mlle Camuset, notre institutrice, est sévère. Elle est juste et nous essayons de travailler au mieux afin d'éviter de la fâcher.

Maman n'est pas trop aimée à Orbagna et son caractère, dur et indépendant, n'est pas toujours apprécié. Aussi, nous avons mauvaise réputation et maman est surnommée « *la Friquette* » !

Alors que nous allons quitter Orbagna pour vivre à Lons-le-Saunier, je crois que peu de gens vont nous regretter dans ce beau petit village, viticole et agricole. Nous sommes l'année 1938.

Maman veut partir d'Orbagna, car je crois qu'elle ne s'entend plus avec le monsieur avec qui – et chez qui – nous vivons. Moi, je le considère comme mon grand-père et puisque je n'ai plus de papa, je m'en accommode bien. Il est gentil avec moi, même si nous ne sommes pas liés comme un papa et sa fille.

Un beau matin, nous descendons avec nos bagages sur la route et nous prenons l'autocar pour nous rendre à Lons. Maman a décidé que nous allions « *monter à la ville* ». Nous logeons d'abord chez une cousine avant d'emménager au 10 de la rue des Écoles, près de l'église Saint-Désiré. Maman trouve du travail dans une usine de linge et aussi, elle fait de la couture. Moi, je vais à l'école un peu plus loin. L'institutrice est très gentille et elle m'explique que je vais préparer mon certificat d'études. « *Enfin si la guerre qui vient de commencer nous permet de continuer à faire la classe* », qu'elle précise. Je l'espère, car j'ai de bons résultats et je crois que si je travaille bien et beaucoup, je peux avoir cet examen.

En 1940, arrive à nouveau un grand malheur : ma demi-sœur, Marie Suzanne, meurt de maladie et de l'absence de soins, et nous l'enterrons à Lons. Mon autre demi-sœur, mon aînée de près de vingt ans, s'est mariée en 1936 et nous ne la voyons plus puisqu'elle est partie vivre dans l'Ain. Je n'aurai plus jamais de nouvelles..

Nous sommes en 1942. J'ai quinze ans et j'aime beaucoup aller à l'école (où je vais souvent le ventre vide) et j'aime aussi jouer dans les escaliers de la cour intérieure avec les voisines. Elles m'aiment beaucoup, car je leur fabrique des vêtements pour leurs poupées. Malheureusement, la vie est dure et les bottes allemandes frappent les pavés des rues de Lons et du Jura. Nous vivons entassés dans un appartement d'une seule vraie pièce où le poêle n'est pas souvent alimenté et où la température n'est guère supérieure à zéro en ces froides nuits d'hiver. L'hiver 1941-1942 est le plus froid depuis des années. On dit qu'il a fait – 30 °C une nuit. Le bois de chauffage est très cher, le savon est introuvable et on commence à faire du troc. Pour survivre, tout le monde cultive avec acharnement le moindre coin de terre libre et chacun essaie de se débrouiller comme il peut, mais la misère s'installe.

L'usine de maman vient de fermer et elle doit faire des ménages pour essayer de joindre les deux bouts et pour nous nourrir. C'est pas le maigre revenu d'apprenti de mon frère qui nous aide. Maman me dit que je ne dois plus aller à l'école, car je dois travailler afin de rapporter de l'argent et des tickets d'approvisionnement à la maison. Nous sommes très pauvres, comme beaucoup de gens de notre quartier, pendant ces années terribles de la guerre. Alors je fais de la couture pour pouvoir gagner ma vie. Aussi, nous allons parfois en dehors de la ville pour faire pousser quelques légumes dans un lopin de terre qu'un vieux monsieur ne peut plus entretenir à cause de son âge. Nous lui donnons un peu de ce que nous arrivons à récolter.

Aujourd'hui, la police française est venue nous voir pour nous demander où il était le Louis. La police à Orgelet et à Maynal le recherche. Bien sûr, nous sommes inquiètes et Louis ne rentre plus à la maison. Nous ne savons pas où il est parti. Ils disent qu'il est communiste et qu'il doit aller à une convocation de la police française qui veut lui poser des questions. C'est probablement aussi à cause de l'instauration du STO que Louis comme d'autres Jurassiens ne répondent pas aux convocations et choisissent de devenir maquisards. Mais il est communiste que l'on dit. « Communiste », c'est la première fois que j'entends ce mot. Maman m'explique que c'est de la politique et que oui, apparemment, Louis est communiste.

L'année 1943, alors que nous sommes toujours sans nouvelles de Louis, une femme a dit à maman qu'ils cherchent des « *aides-soignantes* » pour travailler à l'hôpital. Je vais me présenter et je suis embauchée pour faire les lits, laver les draps, les repasser, aider les blessés à se lever, à marcher et aussi à manger ou faire leur toilette. Il y a là, bien sûr, beaucoup d'Allemands, mais aussi des Français et des Russes. De l'hôpital, je rapporte de la nourriture pour la maison. Cela nous aide bien, surtout que maman est de plus en plus souvent malade et que ses bronches la font souffrir. Elle travaille moins et c'est maintenant moi qui rapporte l'essentiel à la maison. Maman est très stricte avec moi et, par exemple, elle ne veut pas que je sorte le soir.

Une nuit, nous entendons frapper à la porte. Maman se lève et demande :

« *Qui c'est ?*

— *C'est Louis* », répond une toute petite voix.

Nous sommes heureuses aux larmes. Nous l'embrassons, le serrons dans nos bras et maman se fâche : « *Pourquoi tu n'as pas donné des nouvelles ?...* » Il nous apprend alors qu'il a rejoint le maquis et qu'il est résistant. Maman n'approuve pas du tout. Moi, je suis tout excitée. J'ai seize ans, ma vie n'est pas facile et je rêve d'aventure... Aussi, quand Louis me demande si je veux distribuer des tracts dans le quartier et partir, même à l'autre bout de la ville, déposer des lettres là où on va me dire, j'accepte tout de suite. Maman n'a pas entendu ou elle fait semblant de ne pas entendre et Louis s'en va déjà... Je me rendors en l'imaginant dans les maquis et les forêts du Jura...

Quelques jours plus tard, alors que je rentre tranquillement de l'hôpital à la maison, un homme s'approche de moi et se met à me parler en ordonnant de ne surtout pas m'arrêter. Il vient de la part de Louis et me demande d'aller chercher un paquet à une adresse qu'il me répète deux fois. Je suis terrorisée et je ne réponds rien. En arrivant à la maison, maman est couchée et je lui dis que je dois ressortir. Mon cœur bat très fort. La nuit tombe et je vais pour la première fois aider les résistants.

Tout le monde veut aider les résistants. Le 26 mars 1943, l'abbé Tissot, le curé de notre paroisse Saint-Désiré, encourage les actions de résistance. Tout le monde (ou presque) veut faire quelque chose contre l'occupation des boches. Par la suite, je suis sollicitée pour la distribution de tracts avec des copines du quartier ou pour porter du courrier. Il y a aussi les distributions des tracts et de la photo du général de Gaulle dans les boîtes aux lettres. Tirés à de nombreux exemplaires grâce à l'imprimerie Verpillat de Lons-le-Saunier, nous en distribuons de plus en plus et cela énerve les Allemands.

En 1944, les Allemands sont de plus en plus nerveux et on parle de plus en plus du Général qui est à Londres et aussi des Alliés qui vont venir libérer la France. Quant à la vie de tous les jours, elle n'est pas facile. Les seuls moments de détente sont mes discussions et rencontres avec Auguste et René qui habitent en bas sur la grande place. Un est apprenti et l'autre je ne sais pas très bien ; il est chez ses parents, je crois. Ce sont mes cavaliers et nous nous retrouvons souvent sur la grande place. J'aime ces moments, car ils me parlent et j'aime les écouter. Ils me font oublier la triste vie que nous vivons, maman et moi. Surtout que nous n'avons aucune nouvelle de Louis, et que souvent on entend parler de résistants maquisards tués ou blessés par les Allemands. Bien entendu, je cache ces informations à maman afin de ne pas l'inquiéter.

À l'hôpital, nous avons beaucoup de travail. Il y a maintenant quatre Russes. Tous surveillés par les Allemands. Aussi, en allant faire le ménage dans leur salle, je fais connaissance avec un officier soviétique, Bérézine. Nous sympathisons un peu. Surtout qu'un de ses hommes me fait la cour. Il s'appelle Yvan Soklakov et il est né en 1920 à Koursk, en Union soviétique. Il est très beau et très grand. Fort aussi. Je ne connais pas les hommes... Mais lui il sait bien s'y prendre avec les filles... Je suis amoureuse de lui, je crois. J'aime cet homme qui sait si bien parler le français avec son accent. Il me complimente toujours. Il dit que je suis la plus jolie, que j'ai de beaux yeux. Et il me raconte des tas d'histoires merveilleuses.

Un jour, Bérézine me demande si je peux essayer d'avoir un contact avec les maquisards car ils veulent, les quatre Soviétiques, rejoindre la Résistance. J'en parle à une fille du quartier, mais elle ne m'aime pas beaucoup car je travaille à l'hôpital où il y a des Allemands. Elle ne me répond rien et je ne sais que faire. Cependant, quelques jours plus tard, Rémy[1], qui s'occupe du ravitaillement de l'hôpital, vient avec son camion. Il fait sortir les quatre Soviétiques de leur salle et

---

1. Rémy a été fusillé par les Allemands quelques jours plus tard. Le bilan des pertes dans les rangs de la Résistance fut lourd. Rien que pour le Jura il y a : 126 tués au combat, 837 blessés, 1834 membres arrêtés, 1231 membres déportés (671 ne sont pas revenus), 289 internés et... 314 fusillés. Sources : *Les Maquis de Franche-Comté*, André Besson, éditions France-Empire, 1978 ; *La Résistance dans le Jura*, François Marcot, éditions CETRE, Besançon, 1985 et *La Véritable Résistance clandestine jurassienne*, Louis Landré, éditions des Presses jurassiennes, Dole, 1970 (*NdE*).

ils se cachent sous la bâche à l'arrière. L'évasion a réussi et mon amoureux s'est envolé. Je ne sais pas si je dois être contente ou triste. Aussi, j'ai peur d'avoir des ennuis car les Allemands ont dû me voir me promener avec Yvan.

Maintenant, je n'ai plus de nouvelles... Le débarquement en Normandie est, paraît-il, un succès. Les attaques des maquisards contre les Allemands sont de plus en plus fréquentes et meurtrières. Aussi dans la nuit du 24 au 25 août 1944, les maquisards du Jura (on dit plus de cinq cents hommes) viennent à Lons et ils font un « coup de main » contre la Gestapo et la gendarmerie, installées dans le quartier de la gare. Des Allemands s'enfuient, d'autres sont tués ou faits prisonniers. Les maquisards repartent par notre quartier Saint-Désiré. Les Allemands sont furieux. Ils viennent rue des Écoles et quatorze habitants sont tués dont deux enfants. Sept immeubles sont incendiés et la peur règne sur la rue. Personne n'ose sortir et nous nous terrons chez nous. Le lendemain, les maquisards reviennent vers Lons et les Allemands évacuent la ville après avoir fait quelques rafles[1].

Le jour de la libération de Lons, maman est malade et je n'assiste pas au défilé. Quelques

1. La plus célèbre est celle au cours de laquelle le Dr Jean-Marie Michel est arrêté dans la nuit du 24 au 25 août par la police allemande et exécuté dans les bois de Pannessières, à quelques kilomètres de Lons-le-Saunier (*NdE*).

semaines après, mon amoureux vient frapper à notre porte. Je suis heureuse, il est vivant ! Nous nous embrassons, et maman demande : « *Qui c'est, celui-là ?* », puis nous fêtons nos retrouvailles… À peine arrivé, Yvan insiste pour que nous partions dans la Saône chez des immigrés russes qui l'ont aidé et qui nous attendent. Nous quittons Lons et nous partons vivre chez eux. Mon Yvan aide à la ferme. Le propriétaire est très content et il m'aime beaucoup. Aussi, il voudrait que nous restions ici. Moi, je ne suis pas contre mais mon Yvan, qui passe des soirées entières à discuter « politique » avec le propriétaire, envisage notre avenir autrement. Comment, je ne sais exactement, mais je comprends bien qu'ils ne sont pas d'accord politiquement. Moi, je ne me mêle pas de leurs histoires. Je sais seulement que mon Yvan défend les communistes et aussi son pays. Son hôte n'apprécie pas, mais ils finissent toujours par trinquer ensemble et se taper dans le dos, comme deux frères ou deux vieux amis. Chaque week-end, nous allons à pied jusqu'au village voisin où nous achetons quelques produits et où nous buvons, moi un jus, Yvan un verre de vin. Tous les deux nous aimons ces odeurs qui parfument les rues. Les odeurs du pain, du bois et de cuisine. En revenant chez nos hôtes, nous marchons main dans la main et je suis heureuse. Certains dimanches, nous allons dans un verger voler des pommes. J'ai peur, mais mon Yvan est très fort et il grimpe très bien aux arbres. Lorsque nous courons, puis nous arrêtons pour manger notre butin, nous nous regardons dans les yeux et rions beaucoup. Nous n'avons pas besoin de nous parler. Nos sourires suffisent.

Mais un mois plus tard, alors que nous parlons projets et que mon Yvan m'a annoncé qu'il voulait rester en France avec moi et me marier, une voiture noire de la police française vient le chercher et ils l'embarquent. Moi, je demande : « *Pourquoi ?* » Ils me répondent qu'à cause des accords de Yalta, les Russes doivent retourner chez eux, en Union soviétique. Ils me disent aussi qu'ils doivent lui poser des questions sur ses activités en France avant la Résistance. Ils disent qu'il aurait collaboré avec les Allemands. On me pose des questions, mais je ne sais que répondre. Je ne sais pas qui est Yvan. Lorsque je lui demande, il répond qu'il est russe, qu'il s'est échappé de chez les Allemands qui ont voulu l'enrôler de force et qu'il n'a pas fait de mal. Moi, je ne peux pas savoir cela mais je pense qu'il n'est pas méchant et que tout va s'arranger. Aussi quelques jours plus tard, je vais me renseigner pour savoir où est mon Yvan. On me répond qu'il est en prison.

Quelques semaines après, au début de 1946, je retourne demander et on me dit que si je veux le rejoindre, je dois aller au camp de Beauregard, près de Paris, où sont placés les Russes qui doivent repartir en URSS. Bien sûr que je veux le revoir. Je l'aime. Et en plus je suis enceinte et je dois absolument lui annoncer. Maman me dit qu'elle va m'accompagner.

Chapitre 2

Le grand voyage
(1946)

Aujourd'hui, je prends le bus afin d'aller rejoindre Yvan au camp de Beauregard.

Nous nous présentons, maman et moi, à l'entrée et nous restons d'abord derrière une grande grille rouillée. Tout me semble étrange. Tout d'abord, on nous fait attendre et un homme en uniforme soviétique vient nous parler. Nous allons alors au poste de garde, une maisonnette qui est certainement celle des anciens concierges[1]. Puis, un des hommes, un civil armé, nous accompagne jusqu'au bureau, dans une sorte de construction en rez-de-chaussée toute en longueur, à l'écart des baraques. Nous lui expliquons que nous venons rejoindre mon amoureux, que nous voulons nous marier et que je suis enceinte. Il nous fait attendre encore et Yvan arrive, tout souriant. Même s'il ne semble pas très content du bébé que je porte, il est heureux de me voir et il veut que je reste avec lui.

Très vite, nous allons nous faire enregistrer et un officier du centre nous accompagne dans un

1. La propriété appartenait auparavant au comte de Bendern (*NdE*).

baraquement où vivent les familles. Les logements sont propres et correctement équipés. Des provisions de bois coupé sèchent près des poêles, mais nous n'en aurons pas besoin puisque déjà le printemps pointe le bout de son nez. Yvan part chercher son sac et revient nous aider à nous installer. Le soir, nous discutons de ce que nous allons devenir et il me dit de venir avec lui en URSS. Il dit que là-bas tout va aller mieux et que nous pourrons vivre tranquillement.

« *Je ne sais pas, il faut que je parle à maman* », que je lui réponds avant de m'endormir.

Le lendemain, il revient à la charge et veut que nous allions au consulat de l'URSS à Paris afin de nous marier. Moi, je ne sais que faire et j'essaie de lui poser quelques questions sur lui et sur son pays. « *Ce n'est pas intéressant pour toi, tout ira bien* », qu'il me dit.

Dans notre baraquement, il y a d'autres familles et nous commençons à faire connaissance. Il y a Marie, Jeannine et Germaine (que j'appelle souvent Ginette car c'est son deuxième prénom) avec qui je me lie tout de suite d'amitié. Ensemble, nous nous promenons, nous aidons à la cuisine, nous rangeons la baraque et nous parlons beaucoup. Elle est du Pas-de-Calais et elle part suivre son mari Sergueï en URSS. Ensemble, nous discutons avenir comme deux sœurs.

Au camp de Beauregard[1], nous mangeons bien.

---

1. Pour plus d'informations sur le camp de Beauregard, se reporter à l'excellent livre *Les Camps soviétiques en France. Les Russes livrés à Staline*, Georges Coudry, Albin Michel, 1997 (*NdE*).

Chaque jour les Français livrent du ravitaillement et les cuisiniers du camp, des soldats soviétiques, anciens prisonniers de guerre qui attendent pour retourner dans leur patrie, font bien la cuisine. Le mari de Marie est à la cuisine et il est en quelque sorte le chef. Donc, nous sommes un peu privilégiées et nous ne nous en plaignons pas. Les journées dans le camp s'écoulent sans emploi du temps bien défini. Les gens sont oisifs et font la tâche qu'on leur demande de faire. Moi, j'attends maintenant la naissance de mon bébé. Yvan espère que cela sera un garçon. Moi, je n'ai pas de préférence.

Le 10 juillet, une ambulance arrive. Elle vient pour m'emmener accoucher à Versailles. Yvan m'accompagne et maman reste à Beauregard. J'ai mal et je sens que mon bébé va bientôt sortir, mais je suis heureuse. J'accouche d'une petite fille, nous décidons de l'appeler Claudine-Luba. Yvan va se charger d'aller la faire enregistrer avec l'aide de quelqu'un de l'hôpital. Le bébé se porte bien et elle est forte. Aussi, demain je peux rentrer à Beauregard.

Pour sortir de l'hôpital, j'enveloppe mon bébé dans une chemise d'Yvan. Nous sommes en juillet et il ne fait pas froid. Heureusement. En arrivant, Marie, Germaine et les autres m'attendent. Toutes veulent voir mon bébé et toutes veulent l'habiller des vêtements de leur bébé à elles. Aussi, Germaine m'aide beaucoup, car l'année dernière elle a eu un petit garçon, Serge. Elle me conseille et m'explique. Maman aussi. Nous promenons nos enfants dans le parc. Nous sommes un groupe de cinq femmes françaises vivant ensemble. Notre baraque est la plus propre et la plus fleurie. Un commandant nous félicite devant tous les pensionnaires du camp. Mon Yvan est très fier et il dit à tout le monde que c'est grâce à moi.

Les hommes rentrent le soir après leurs activités. C'est eux qui s'occupent du bon fonctionnement du camp. Le soir, souvent, il y a des spectacles ou des films (*Les Trois Tankistes*, *L'Arc-en-Ciel*...). Des fêtes sont organisées au son du violon ou de l'accordéon. Et aussi une danseuse qui fait des spectacles. L'ambiance est souvent à la fête. Les Russes sont des gens joyeux et j'aime beaucoup cette ambiance. Les autorités soviétiques viennent aussi souvent de Paris. Même l'ambassadeur, Bogomolov, vient parfois assister au spectacle ou au film. Il monte sur la scène et nous explique que tout va bien se passer et que l'Union soviétique a besoin de notre aide pour reconstruire le pays, détruit par les fascistes que nous avons vaincus. Il se félicite aussi que la France applique à la lettre les accords de rapatriement et que nous sommes deux pays amis. Ensuite, il lève un verre de vodka et tout le monde chante. Parfois on danse après avoir regardé le cinéma. On y voit toujours des actualités sur ce qui se passe en URSS et comment c'est beau là-bas. Tout semble si facile que j'ai déjà envie d'y être. Bien sûr, aussi, je suis inquiète de partir loin de ma patrie dans un pays que je ne connais pas. Bien sûr, mon Yvan me dit que tout ira bien et je vois bien que les gens du camp de Beauregard sont très gentils et qu'ils me rassurent comme les films que je regarde, mais j'ai un peu peur de partir si loin. Heureusement que maman décide de m'accompagner jusqu'en Russie. Cela me rassure même si je sais bien qu'elle reviendra après en France. Mais moi aussi, si la vie là-bas ne me plaît pas, je pourrai revenir en France, alors... je me rassure et je suis confiante.

Aujourd'hui, nous venons d'apprendre que nous pouvons partir les derniers jours de ce mois de juillet. Nous allons donc au consulat soviétique, rue de Galliera, à Paris, pour nous marier et pour obtenir notre certificat de rapatriement. En sortant du consulat, Yvan me dit : « *Tout ira bien, les temps ont changé.* » Je ne comprends pas ce qu'il veut dire et je suis un peu inquiète. Mais, lorsque je pose des questions à mon Yvan, toujours il me répond : « *Ne t'inquiète pas ! Là-bas tout ira bien, ce sera mieux pour notre enfant...* »

Mais la veille du départ, Yvan est nerveux : « *Si tu parles à quelqu'un... soit je te tue, soit tu iras en Sibérie où il fait tellement froid que rien ne pousse et d'où tu ne reviendras plus. Tu ne dois jamais rien dire sur moi. Seulement que j'ai combattu en France avec les communistes. Les gars comme ton frère, les bons communistes !* » Je sens qu'il n'est pas toujours bien vu par les autorités russes, mais je ne parle pas leur langue et je ne comprends pas trop la situation. Je l'écoute et je lui promets. Qu'est-ce que je peux faire d'autre ? C'est mon mari et je l'aime beaucoup.

Avec maman, nous écrivons une lettre à Louis. Maman me fait écrire qu'elle m'accompagne juste pour m'aider à m'installer chez mon Yvan avec ma Luba et qu'elle revient dans le Jura aussitôt. Nous donnons la lettre à Germaine qui va la poster avec celle pour sa maman, et nous nous préparons à partir pour ce grand voyage.

Le grand départ

Nous nous retrouvons, en cette fin de mois de juillet, sur le quai de la gare de Vaucresson. Là, un train doit nous emmener d'abord jusqu'à l'Allemagne. Nous sommes très chargés et le mari de Marie a ajouté des sacs avec des boîtes de lait concentré, des pommes et des rations de nourriture de l'armée américaine. Tout le monde a fait des provisions.

Quelques jours après notre départ, alors que nous traversons l'Allemagne, nous devons changer de train. Ce n'est pas un train très confortable et les femmes sont séparées des hommes. Nous nous retrouvons entassées dans des wagons qui ne sont pas faits pour transporter des humains. Cela nous donne un coup au moral, malgré l'accordéon qui joue souvent et les voix des hommes qui chantent. Nous devons faire face et nous essayons de nous organiser. Un coin est alors réservé aux toilettes ! Et lorsque le train s'arrête, on vide tout et on jette sur la voie. Aux arrêts, nous essayons de laver et de nettoyer un peu mais l'odeur a déjà envahi le wagon et nous ne pouvons rien faire contre cela. Il fait chaud, très chaud. Notre préoccupation, c'est les enfants. Aux arrêts, nous descendons aussi faire le plein d'eau. Parfois, on nous jette des pains. Parfois, c'est la distribution de soupes. Le confort, il n'y en a aucun. Pour respirer nous allons à la fenêtre, recouverte de barreaux, comme un wagon de prisonniers !

Nous sommes honteuses et nous n'osons trop regarder les gens dans les gares. Aussi, des soldats russes s'occupent de nous à chaque arrêt. Ils ne sont pas aimables. Il y a là beaucoup de Tatars ou Ouzbeks car ils ont les yeux bridés. Yvan est responsable d'un wagon. Il s'entend pas très bien avec Sergueï, le mari de Ginette. Aux arrêts, c'est soit l'un, soit l'autre qui vient nous rendre visite et qui nous informe. Yvan se veut rassurant : « *Nous serons bientôt arrivés, allez, les femmes, courage. C'est bientôt la fin du voyage et la belle vie qui nous attend.* »

Au bord de la voie, nous voyons maintenant des soldats. Ou américains, ou soviétiques. Avant d'entrer en Pologne, des officiers américains et des gens nous disent : « *Vous êtes encore libres. Tout ce qu'on a pu vous promettre est faux* [...]. *Réfléchissez bien. Vous quittez pour toujours un monde libre.* » Quelques-uns sautent du train. Mais moi, je reste. Je pars avec mon mari, ma fille et ma maman. Parfois, tout de même, je me pose des questions sur ces rumeurs, mais mes compagnons de voyage m'affirment qu'il s'agit de propagande capitaliste : « *Le peuple soviétique est victorieux et il a bien le droit au bonheur après tant de souffrances !* » Et puis, si cela ne va pas, nous reviendrons en France. Alors, je parle avec Ginette et nous oublions ces ragots.

Alors que maman vient de s'endormir, ma petite Luba se met à pleurer. Je la prends dans mes bras et je veux la promener mais cela n'est pas possible car le train bouge trop. Je lui donne le sein mais elle le refuse. Je ne sais que faire. Heureusement, avec les balancements du wagon, elle finit par s'endormir. Mon Dieu, qu'est-ce que je fais vivre à mon pauvre bébé ! Je me sens coupable mais maintenant que nous sommes parties pour la Russie, il nous faut aller jusqu'au bout et nous ne pouvons faire demi-tour. Lorsque j'en parle à mon Yvan, il me rassure : « *Ne t'inquiète pas, nous allons bientôt arriver et tout va bien se passer.* » Alors, moi, j'arrête de me plaindre et j'attends... J'attends que le temps passe... Mais il ne passe pas bien vite et je suis curieuse d'arriver en Russie et de voir à quoi ressemblent ce grand pays et ma nouvelle maison.

Nous effectuons deux arrêts de plusieurs jours. Un en Allemagne et un en Pologne. En Pologne, cela ne se passe pas bien. Marie, d'Albi, est avec sa mère qui est d'origine polonaise et les autorités disent qu'elle doit rester en Pologne. Elle ne veut pas, bien entendu. Marie non plus. De plus, elle est française, pas polonaise ! On nous dit d'aller dans une sorte de caserne et nous descendons du train pour monter sur une charrette recouverte de foin. Mais les Polonais ne veulent pas laisser partir la maman de Marie. Que de crises de larmes... Marie pleure. Ginette et moi essayons de la consoler. Quel grand malheur. Cela crie et hurle de partout, et lorsque nous reprenons le train, l'ambiance est encore moins bonne qu'avant. Marie pleure tout le temps et nous ne savons que faire pour la consoler. Pour passer le temps, ou nous dormons, ou nous mangeons des pommes. Beaucoup de pommes. Parfois, on nous donne des rations de l'armée. Pas de nourriture chaude. Des pommes. Seulement des pommes.

À Grodno

Enfin, nous arrivons à la frontière soviétique. Plus de quinze jours après notre départ de Beauregard, nous arrivons enfin à Grodno où nous allons rester quelques jours. Quand nous passons la frontière des hommes montent dans le train, fouillent tous les bagages et hurlent je ne sais quoi en russe. Ils demandent les papiers, je pense. Maman pleure et ne comprend pas. Moi non plus. Soudain, nous nous regardons avec Germaine et nous nous souvenons de ce que nous a dit une femme polonaise de Belgique, en Pologne : « *Surtout ne donnez pas vos papiers français à la frontière. Ne les donnez jamais. Jamais, sinon vous ne pourrez pas repartir.* » Nous n'avons pas à les cacher car ils ne les trouvent pas. Heureusement. Je leur donne seulement les papiers de rapatriement. Après avoir été fouillées, nous repartons. Cela ne fait pas cinq minutes que nous sommes repartis qu'il faut descendre. « *Nous sommes arrivés !* » que nous crient nos hommes qui n'ont pas le droit de venir nous rejoindre pour nous aider. Nous marchons avec tous nos bagages jusqu'à un camp, entouré de miradors et de barbelés. Là, nous sommes placés dans des baraquements. Personne ne dit rien mais personne n'a le sourire. Dans la cour, il y a une grande animation et les hommes attendent d'être convoqués dans un bureau pour régler les problèmes liés à notre installation en URSS.

Aujourd'hui, à la tête de mon Yvan, je vois qu'il est tout fier de nous apporter des nouvelles à tous et à toutes : « *Nous repartons demain, mais nous allons d'abord vers le nord, pour déposer dans leur région des anciens zeks*[1]. » En attendant, il nous faut encore passer une nuit dans ce camp et ce n'est pas pour me plaire. Souvent, les soldats nous réveillent en pleine nuit pour une raison ou une autre. Cela réveille les enfants qui ensuite pleurent. « *C'est juste pour nous intimider* », dit mon Yvan. Dans notre baraquement, il y a beaucoup d'enfants et les hommes se couchent à l'entrée, ainsi nous dormons en sécurité dans le fond des baraques.

Nous quittons le camp de Grodno et nous allons, à pied, vers le quai d'où partent les trains. Là nous attendent plusieurs trains de wagons à bestiaux.

Nous nous entassons tous, hommes, femmes, enfants, soldats et paquets de toutes dimensions et de toutes sortes dans un vacarme d'où sortent

1. Prisonniers (*NdE*).

des airs d'accordéon et de balalaïka. Je ne sais combien de jours exactement dure ce voyage. Il semble ne plus vouloir finir. Parfois, nous restons des journées entières à attendre que la voie soit libre. Rien à manger sauf les boîtes, grâce à Marie, notre amie du camp de Beauregard. Je regarde défiler le paysage. Ainsi passent les longues journées de ce long voyage à travers l'Allemagne, la Pologne, et maintenant les pays baltes et la Russie.

Aujourd'hui, on nous a annoncé qu'un bébé était mort dans le wagon d'à côté. Heureusement, ici, et mon bébé et le fils de Germaine, Serge, sont en bonne santé. Aussi, alors que nous traversons très doucement un village, une femme donne son enfant à un prêtre qui regardait passer le convoi. Cette scène nous secoue toutes et nous évitons même de nous adresser la parole. Qu'allons-nous devenir ? Pour la première fois, je suis vraiment inquiète, surtout de voir tous ces villages détruits, ces paysages de désolation avec parfois des potences laissées sur place à disposition des rapaces. Mon Dieu, quel spectacle ! Mon Dieu, aidez-nous…

Nous arrivons enfin à Moscou, toutes épuisées. Nous sommes emmenées dans un endroit, un bâtiment. Là, maman, Luba et moi devons attendre d'avoir notre ticket de transport pour Koursk où nous allons rejoindre Yvan, qui lui continue immédiatement le voyage. Les autorités expliquent à mon Yvan que nous devons enregistrer nos papiers et quel train nous prendrons. Aussi, Yvan nous rassure et nous dit que les autorités russes veulent qu'il aille avant nous pour préparer notre arrivée. Nous, nous ne comprenons pas très bien, mais nous sommes très fatiguées et nous obéissons, et à Yvan et aux autorités. Mon mari sait quand nous arrivons et nous n'avons pas de souci à nous faire. Quant à Ginette, elle part demain pour Voronej par un autre train, avec son mari qui refuse de partir sans elle. Nous échangeons les coordonnées et nous nous promettons de nous revoir dès que nous serons installées l'une et l'autre. De plus, son mari me dit : « *Nous n'habitons pas loin. Nous irons vous voir et vous viendrez nous rendre visite.* » Cette promesse me réchauffe le cœur car je suis triste de quitter mon amie.

Maintenant que Germaine n'est plus avec nous, j'ai un peu peur. Mais tout se passe comme prévu et un homme vient nous demander de nous préparer, car nous allons partir très bientôt en camion, avec nos bagages, à la gare afin de prendre le train pour aller dans notre nouvelle maison…

Chapitre 3

L'arrivée
(1946-1948)

Le train fait de plus en plus de bruit. Un bruit terrible comme le son de la foudre. Maman me dit : « *Regarde, regarde comme tout est détruit.* » En effet, la guerre est aussi venue jusqu'ici. Mais tout ce que je vois, les villes, les villages entièrement détruits, ce n'est pas comparable avec la France. Ici, tout est comme rasé. Entre des pans de murs, quelques femmes tirent des charrettes à bras. Les enfants cherchent de la nourriture dans les décombres. Mon Dieu, quel spectacle ! Heureusement, c'est l'été et il fait très chaud. Cependant, j'ai soudain très froid, comme si pour la première fois je commence, pas à regretter, mais à douter : « *Comment je vais faire pour vivre dans ce décor ?* » Nous entrons en gare et le train va s'arrêter, une boule d'angoisse me monte dans la gorge et je ne peux me retenir. Je pleure. Beaucoup. Maman essaie de me consoler : « *Ce n'est rien, tu vas voir, ton mari va prendre soin de toi et je suis certaine que sa maison n'est pas comme celles-ci, qu'elle n'est pas détruite. Tout va bien se passer.* » Et moi, je pleure de toutes mes larmes et je me demande : *« Qu'est-ce que j'ai fait ? »,* jusqu'au moment où le train s'arrête avec un bruit épouvantable. Dans le train, il y a beaucoup de familles russes, beaucoup de soldats qui rentrent de la guerre et qui essaient de vendre leur butin, et il y a aussi beaucoup de déplacés. Nous sommes le 28 août 1946. Peut-être qu'aujourd'hui ma vie va réellement basculer, puisque avant, dans le camp de Beauregard, puis dans les trains, j'étais... je me sentais en sécurité. Mais maintenant, avec tous ces gens en guenilles qui vont et viennent dans tous les sens et dans une langue que je ne comprends pas, j'ai soudain très peur.

Nous sommes maintenant arrivées à la gare, mais il n'y a personne qui nous attend. « *Nous sommes perdues*, que je répète à maman. *Nous sommes perdues.* » Maintenant que le quai de la gare est désert, je sais que mon mari n'a pas tenu sa parole et qu'il n'est pas venu nous chercher. « *Pourvu qu'il ne lui soit rien arrivé* », que je dis tout haut. Maman évite de me regarder. Chacune notre tour, nous pleurons. Le soir arrive et je ne sais que faire. Aussi, je me décide à rendre visite à la milice de la gare. Bien sûr, les miliciens ne parlent pas le français et nous, nous ne parlons pas le russe. Ils regardent mon « certificat de rapatriement » et je crois qu'ils comprennent. Alors, nous nous blottissons toutes les trois dans un coin d'une salle avec des bancs déjà occupés et nous dormons quelques heures. Un chef nous réveille et nous explique comme il peut qu'un milicien est parti en moto chercher mon Yvan.

Je ne sais pas si je dois être rassurée ou non. En réalité, je ne suis pas certaine d'avoir bien compris. Maman dort ainsi que ma Luba, à même le sol, mais cela ne m'inquiète pas car il fait chaud et je l'ai enroulée dans une couverture. Maintenant, je pense au Jura et je pleure…

Nous nous réveillons de bonne heure et quelques instants après nous apercevons mon Yvan qui vient nous chercher, certainement. Le sourire revient sur nos visages. Je me sens sale et j'ai hâte d'aller me laver et d'arriver dans ma nouvelle maison. Mais, à ma grande surprise, Yvan n'est pas très gentil, il ne m'embrasse pas et il dit aussitôt : « *Je repars chercher un transport pour vos bagages.* » Je n'ai pas le temps de rien lui dire qu'il s'en est déjà retourné. C'est vrai que nous avons beaucoup de bagages et que ce n'est pas possible de tous les porter à la main. Aussi, c'est peut-être compliqué de trouver un transport pour tous ces bagages. Le pauvre Yvan, il doit s'en donner du mal pour nous. Mais que faire ? Nous attendons encore dans cette salle d'attente de la gare que je commence à connaître par cœur. Elle n'est ni grande, ni petite, ni propre, ni sale, seulement insignifiante. Les heures passent, les heures passent, sans manger, et je recommence à paniquer et à dire tout haut : « *Il vient pas, il vient pas…* » Maman, cette fois, ne me rassure pas et dit : « *Il y a quelque chose de louche.* » Mon Dieu, que c'est long d'attendre toute une journée sans comprendre ce qui se passe et pourquoi nous devons encore attendre. C'est si loin, sa maison ? Le soir, nous devons nous résoudre à dormir de nouveau à la gare, mais le milicien ne semble pas l'entendre ainsi. Il porte nos bagages et nous invite à le suivre. Il nous emmène peut-être chez mon mari, dans ma nouvelle maison ? Après quelques minutes de marche, nous arrivons devant un bâtiment avec un drapeau, rouge bien sûr, et une plaque dorée où les lettres[1] qui la remplissent ne me disent rien. Elles ressemblent à certaines lettres qui étaient écrites sur les panneaux du camp de Beauregard. Nous entrons et j'ai l'étrange impression que nous sommes au poste de la milice de la ville. Maman me certifie que non : « *Tu vois bien que ce ne sont pas des vrais bureaux.* » Là, dans ce local, un milicien nous donne de l'eau et un morceau de pain que nous dévorons aussitôt. C'est notre premier repas depuis notre départ de Moscou. Tout ce qu'on avait comme nourriture avec nous, nous l'avons mangé dès les premières heures de ce dernier voyage.

Arrive un grand monsieur qui semble être le chef de la police et qui parle très fort. Bien sûr, je ne comprends rien et je suis inquiète, mais qu'est-ce que nous pouvons faire sinon attendre ? Quelques dizaines de minutes plus tard, une dame entre dans la pièce et nous adresse un « *Bonjour* » rassurant. « *Enfin quelqu'un qui parle français* », que dit maman. Moi, cette femme ne me plaît pas trop car elle nous dit « *tu* ». Je n'aime pas cela, mais elle explique

1. Il s'agit de l'alphabet cyrillique (*NdE*).

qu'on l'a fait venir de chez elle pour traduire ce que nous avons à dire au chef de la police.

« *Je n'ai rien à lui dire*, que je réponds.

— *Et que fais-tu là avec ce bébé et cette femme ?* qu'elle me demande en montrant maman du doigt.

— *J'attends mon mari.* »

Et voilà maintenant qu'elle parle avec le policier. Pendant ce temps, je leur montre mon « certificat de rapatriement ». Le policier me regarde en hochant la tête. Je ne sais pas ce qu'elle lui dit, mais je crois qu'il comprend. J'espère qu'ils vont nous laisser retourner à la gare, car c'est là que Yvan doit venir nous chercher. Il faut que je lui dise : « *Il nous faut retourner à la gare car mon mari va venir nous chercher avec un transport pour les bagages. Si nous n'y sommes pas, il va croire que nous sommes reparties.* » Le policier semble comprendre :

« *Da, da*, qu'il dit.

— *Tu dois attendre ici maintenant*, ajoute la femme interprète.

— *Ce n'est pas possible, je dois retourner à la gare...*, que je lui dis quand elle me coupe la parole et me dit en haussant les épaules : *Il vous a abandonnées.* » Puis elle quitte la pièce.

« *C'est pas vrai, c'est pas vrai* », que je crie alors que la porte se referme. Je suis fatiguée et je sens les larmes revenir. Ça y est, je pleure encore et je n'ai même plus la force de répondre à maman qui me dit de ne pas écouter cette femme.

Je ne sais pas quelle heure il est, mais je suis un peu calmée. Je viens de donner le sein à mon bébé lorsqu'un milicien nous apporte de la soupe en nous expliquant comme il peut que demain il ira chercher mon mari. Je ne sais pas si c'est cela qu'il a dit ou si nous voulons comprendre cela. De toute façon, je ne comprends rien à leur charabia et je suis trop fatiguée pour réfléchir et je m'écroule de fatigue.

Le lendemain, quand le policier arrive chez mon mari (je le sais et je connais l'histoire car ce policier me l'a racontée plusieurs fois des années plus tard lorsque j'ai su parler le russe), celui-ci est à table avec toute sa famille. Le policier demande alors : « *Qu'est-ce que tu fais à table, moujik, alors que ta femme, ta fille et ta belle-mère t'attendent à la gare et pleurent depuis deux jours ?* » Le père de mon mari prend tout de suite la parole et demande : « *Pourquoi tu nous as rien dit ?* » Et il paraît qu'il l'insulte et qu'il crie sur mon Yvan. Le policier reste avec eux le temps qu'ils trouvent un transport pour nous et les bagages, et ils arrivent enfin avec une charrette tirée par des bœufs. Nous nous regardons, maman et moi, et je crois que toutes les deux nous sommes bien surprises de voir cet attelage pas très joli. Quel transport ! Mais après un mois de voyage, j'ai seulement envie de m'allonger dans un lit. Seulement. Alors, je dis rien et j'attends qu'on parte enfin d'ici. Mais voilà que mon Yvan, il se comporte pas très bien avec nous. Pas un mot, pas un regard. Je ne suis pas habituée et je suis surprise, surtout que nous, nous n'avons fait qu'attendre. Mais le Yvan, comme un cochon, il ne nous parle pas et charge les bagages sur la charrette. Le milicien, impressionné par la scène je suppose, invite Yvan à rencontrer le chef de la police.

« *Pourquoi tu as commencé par charger les bagages au lieu de t'occuper de ta femme et de ton enfant ? Tu as besoin des bagages ou de ta femme ?* » demande le chef. Le policier note quelque chose sur un cahier et il crie à Yvan qu'il sera désormais « *bien surveillé* ». Enfin, nous roulons, si je peux dire. J'essaie de parler avec mon mari, mais il reste muet. Je le connais de mauvaise humeur, mais pas ainsi. Jamais je l'ai vu comme cela et j'arrête pas de penser : « *Qu'est-ce qui se passe ? Qu'est-ce que j'ai fait de mal ?* »

Aïe, aïe aïe... les maisons que nous apercevons depuis le train sont... oh, mon Dieu ! ce n'est pas possible... Yvan décharge les bagages. Nous sommes arrivés ! L'habitat (je n'arrive pas à appeler cela une maison) ressemble à une hutte de terre recouverte d'un toit de chaume. Le sol et les murs sont en terre. La « *maison* » d'Yvan n'est pas belle. Il n'y a que deux pièces séparées par un four qui sert aussi de chauffage l'hiver, j'imagine, car je ne vois rien d'autre. C'est très pauvre, oh, mon Dieu ! Il y a là cinq personnes, et mon mari ne nous présente pas. Il règne un silence gênant. J'ai l'impression que nous ne sommes pas les bienvenues dans sa maison, alors je pleure dans les bras de maman qui fait de même. Qui sont ces gens ? Je ne sais pas puisque

Yvan ne me dit rien. Je lui demande : « *Pourquoi tu es fâché ?* » Lui ne répond pas. Le seul que j'arrive à identifier, c'est mon beau-père. En réalité c'est le seul qui nous regarde gentiment, même s'il engueule tout le temps son fils. Bien fait pour ce cochon d'Yvan, il n'a qu'à pas être méchant avec moi ! Les autres, les femmes surtout, regardent nos bagages. Je garde mes valises près de moi, car je ne veux pas qu'elles fouillent dans mes affaires. Il semble qu'elles n'ont jamais vu des affaires venant de France et que cela les excite.

L'heure du premier repas arrive. Tout le monde se bouscule pour s'asseoir autour de la table. Nous devons nous pousser pour prendre place sur le banc. Mais c'est inutile, je n'ai plus très faim tout d'un coup. Voilà qu'ils se mettent à tous manger dans le même plat, comme des animaux ! « *Mon Dieu*, que je dis à maman, *qu'est-ce qu'ils font ?* » Et maman se lève et va dans l'autre pièce pleurer. Le père de mon mari me fait signe d'imiter les autres et de manger, mais je ne peux pas. Moi aussi je me remets à pleurer et je me dis : « *Mon Dieu, où je suis ? Qu'est-ce que j'ai fait ?* »

J'attends qu'ils aient terminé pour parler à mon Yvan. Je ne comprends pas. Qu'est-ce qui s'est passé ? Et où allons-nous dormir ? Ce n'est pas possible de tous dormir dans ces deux pièces. Ah, ça non, jamais ! Eh bien si, figurez-vous que, la nuit tombée, voilà qu'ils s'installent tous dans la même chambre. Cauchemar ! Moi, je m'installe sur une chaise et je ne dors pas de la nuit.

Je suis très en colère. Le matin, dès que le Yvan sort, je cours derrière lui :

« *Qui sont ces gens ? Pourquoi tu me parles pas ? Et quand aurons-nous notre maison à nous ?* » que je lui demande.

Et lui : « *Tu vois pas que je suis dans le pétrin ?* »

Et moi : « *Pourquoi tu m'as dit de venir ici avec toi, pourquoi ?* »

Yvan : « *Je ne t'ai pas dit de venir, tu as voulu me suivre, tu es venue, c'est tout.* »

Moi : « *Menteur ! Tu me disais que tout était bien ici et que nous serions heureux et que tu t'occuperais de moi et de notre Luba, et tout et tout...* »

Yvan : « *Si tu n'es pas contente, tu peux partir.* »

Moi : « *Oui, je veux repartir et dès aujourd'hui, ramène-nous à la gare !* »

Yvan : « *Non, c'est impossible. Tu vas nous poser des problèmes avec les autorités. Vous devez rester ici maintenant.* »

Moi : « *Avec tous ces gens dans la même maison ? Jamais ! Je ne sais même pas qui ils sont.* »

Yvan : « *Tu feras ce que je dis !* »

Et il part, et moi je reste là dehors et je sens les larmes qui reviennent.

Maman arrive et me dit que la petite fille qui joue dans la maison est la fille d'Yvan. C'est pas possible, que je crie. Elle me dit que si. Mais je n'y crois pas. C'est pas possible, puisque c'est moi la femme d'Yvan et que sa fille, c'est Luba, notre fille, que je dois aller nourrir. Je pense que je deviens folle.

Dans la maison, j'observe les femmes (elles sont trois) et je me dis que la plus vieille doit être la mère d'Yvan, la plus jeune sa sœur, et qui est la troisième ? Sa belle-sœur peut-être ? C'est certain, maman s'est trompée, la petite fille d'environ six ou sept ans doit être la fille de la belle-sœur d'Yvan. Je ne sais pas où il est parti celui-là, mais je suis bien décidée à lui demander quand il reviendra à la maison.

Je ne sais plus exactement comment cela s'est passé. Je me souviens que je me suis trouvée mal, que j'ai fait un malaise et qu'à travers mes larmes je regardais celle qui était, avant moi, la femme de mon mari. Curieusement, je n'ai pas été désespérée, j'étais comme… comme morte.

Le soir, quand Yvan revient, il ne semble pas dans son assiette. Je crois deviner qu'il a bu. « *Et maintenant, comment va-t-on faire ?* que je lui demande. *Et qui sont ces femmes ?* » Et bien sûr il ne répond pas. Et voilà qu'il faut encore manger dans cette auge à cochons, et moi je n'ai pas envie. Maman me force, car elle dit que si j'ai fait un malaise, c'est aussi parce que je ne mange pas assez. Alors j'obéis, mais cela ne passe pas. Non seulement leur façon de manger me dégoûte, mais la soupe aux choux est immangeable. Pourtant, avec un petit morceau de pain, je mange. Voilà. Et là il faut aller dormir, alors je comprends… Bien sûr que le cochon d'Yvan, il se couche avec sa femme russe d'avant la guerre ! Et moi, il me donne une sorte de matelas que j'installe à côté pour moi, ma maman et ma fille. Bien sûr je n'arrive pas à dormir. Comment je pourrais dormir quand mon mari pour qui je suis venue jusqu'ici en Union soviétique est là avec sa femme qu'il avait avant de venir en France à cause de la guerre ? Bien sûr que je n'arrive pas à fermer l'œil de la nuit ! Quelle grande faute j'ai faite ! Il me fallait rester dans ma patrie avec ma maman et ma petite fille. « *Mon Dieu, aidez-moi s'il vous plaît*, que je me répète. *Qu'est-ce que je vais devenir ?* »

Le matin tout le monde se lève très tôt, avec le soleil. Moi, je ne sais pas quoi faire, ni quoi dire. Mon Dieu, je n'ai que dix-neuf ans ! Quelques heures plus tard, alors que je suis assise sur une chaise à rien faire et que les hommes et les deux plus jeunes femmes se préparent à partir au travail dans les champs, les autorités arrivent en side-car. Elles nous rendent visite. Je ne vous ai pas encore raconté que nous ne vivons même pas dans un village, mais dans un *khoutor*, un hameau d'une dizaine de maisons, proche d'un kolkhoze et loin d'une douzaine de kilomètres du village, Solntsevo. Alors, imaginez l'événement, la visite des autorités dans le hameau ! Les autorités veulent savoir comment se passe notre séjour. De ça, je suis certaine, mais le Yvan, il répond à notre place et il ne nous traduit pas. Ce qu'il nous dit, c'est que nous ne pouvons pas rester sans travailler, c'est impossible. En URSS, tous les hommes et toutes les femmes doivent travailler. Même si j'ai compris plus tard qu'il y en a peu qui travaillent, ils font semblant souvent, ou alors ils travaillent pour boire ensuite leur travail.

« *Ma maman est malade et j'ai une toute petite fille* », que je réponds en montrant ma Luba qui n'a pas encore deux mois.

« *Ça va, mais il faut aller vous inscrire au kolkhoze et dans quelques semaines vous irez y travailler* », conclut l'autorité avant de parler durement à mon Yvan.

Nous parlons de cela avec mon mari et je lui dis que jamais maman ne pourra aller travailler au kolkhoze puisqu'elle est malade. Le père d'Yvan demande : « *Qu'est-ce que tu vas faire avec toutes ces femmes maintenant ?* » J'ai bien compris que mon beau-père prend ma défense et qu'il engueule toujours son fils. Maman le trouve dur, mais moi je dis : « *Bien fait !* » et j'aime bien mon beau-père ; c'est le seul qui me regarde gentiment. Avec ma belle-sœur aussi, parfois. La journée passe doucement. Tout doucement. Quant ils reviennent des champs, ils s'engueulent. Mon beau-père m'a rapporté du saucisson et ma belle-sœur du lait. Je les remercie beaucoup. Mais la femme de mon mari se fâche et hurle après moi et après tout le monde. Sa fille pleure et heureusement mon beau-père intervient quand elle essaie de m'arracher le lait ou de le renverser. Cela hurle de partout et moi aussi je commence à pleurer. Et Yvan, lui, il sort.

Voilà comment se passent mes premières journées, puis mes premières semaines dans ce taudis ; ce qui devait être chez moi, ma nouvelle maison. Cauchemar.

De la femme de mon mari, j'ai de plus en plus peur. Elle est très méchante avec moi et n'arrête pas de m'embêter. Un jour, alors que je vais chercher de l'eau au puits, elle me suit et renverse le seau, à chaque fois que je le remplis. Je crois qu'elle veut qu'on se batte et j'ai très peur. Le soir, il n'y a pas d'eau à la maison et elle hurle. Mon Yvan il me reproche : « *Pourquoi tu ne vas pas chercher de l'eau au puits ?* » J'essaie de lui dire, mais il ne me croit pas. Plus tard, je me suis endormie sur une chaise. Maman, qui n'aime pas dormir quand je dors, surveille cette méchante femme qui est de l'autre côté du four. Elle fait bouillir de l'eau et quand l'eau est bouillante, elle soulève la marmite et j'entends maman hurler, je me réveille et je fais un bond alors que l'autre femme jette sur moi l'eau bouillante. Heureusement, je me suis écartée à temps. De dehors arrive ma belle-sœur. Tout le monde hurle maintenant, et moi je ne sens plus mes jambes et je m'évanouis. En me réveillant maman me rassure : « *Elle est partie, tu n'as rien, ça va, ça va.* »

Trois jours après cet incident elle n'est toujours pas rentrée, cette sorcière. Je n'ose pas sortir avec ma Luba car je crains qu'elle lui fasse mal. Quand elle revient, j'apprends qu'elle s'est cachée dans les bois, comme un loup, et Yvan, qui boit de plus en plus, il me demande d'être gentille avec elle. Alors là, je hurle : « *Elle veut me tuer et tu me demandes d'être gentille avec cette femme, mais tu deviens fou !* » Et j'essaie de lui taper dessus, mais c'est lui qui me frappe. D'abord des gifles et ensuite des coups. Je crie et je pleure. Maman aussi. Yvan sort et ma belle-sœur m'aide à soigner mes coups et à arrêter le sang qui coule de ma lèvre. Je dis à maman qu'il ne faut pas rester ici et que nous devons partir voir l'autorité au village. « *Demain nous irons* », qu'elle me promet. Mais moi, je suis inquiète, car je ne sais pas où aller et je ne parle pas le russe. Maman tente de me rassurer en me rappelant : « *À la gare, ils ont trouvé quelqu'un qui parlait français, non ?* » En attendant, ce soir, tout le monde hurle à table et c'est des coups qui partent de mon beau-père vers mon mari, des femmes entre elles, et aussi je reprends une gifle de ce cochon d'Yvan sans savoir pourquoi. Quand tout le monde dort, j'entends maman qui recommence à pleurer et cela me rend très malheureuse. Heureusement, Luba dort et je ne tarde pas à la rejoindre tellement je suis épuisée.

La nuit porte conseil. Elle doit assagir aussi, car ce matin tout semble calme. Maman et moi mangeons tant que nous pouvons et nous attendons, avec impatience, que les hommes et les femmes quittent la maison. Dehors, il pleut et cela ne les encourage pas à partir. Nous attendons donc plus longtemps que j'espère. Quand mon Yvan sort, maman me demande :

« *Et comment allons-nous faire sans parapluie ni vêtements de pluie ?* »

Je regarde autour de nous et je lui réponds : « *Les couvercles des valises !* » C'est ainsi que nous sortons, Luba que je tiens d'une main camouflée sous mon manteau et le couvercle de la valise que je tiens sur ma tête de l'autre main. Mais ça, ce n'est rien à côté de la boue dans laquelle nous pataugeons et surtout par rapport au choix du chemin à prendre. Comme toujours, c'est maman qui a le dernier mot et qui m'assure : « *Nous sommes arrivées par là, j'en suis certaine.* » Confiante, je la suis mais très vite nous nous apercevons que le chemin ne mène qu'aux champs. Demi-tour alors que je sens mes jambes fatiguées. Très vite, j'ai les pieds mouillés et les chaussures remplies de boue. Cela devient de plus en plus pénible d'avancer, mais nous avons la force de le faire et je crois que nous sommes dans la bonne direction. Nous marchons maintenant depuis des heures et nous ne voyons toujours pas le village. J'ai très envie de pleurer, mais je me dis qu'il ne faut pas. Nous allons trouver le village, l'autorité russe va nous aider et bientôt nous pourrons retourner en France.

Le jour commence à se faire moins brillant et il pleut toujours. J'ai l'impression d'entendre du bruit derrière nous. Je me retourne et qu'est-ce que je vois ? Mon Yvan avec son père ! Heureusement qu'il y a son père sinon, sinon... Je me mets à pleurer. Tout ce que je peux. Maman ne dit rien. Les deux hommes arrivent à notre hauteur. Sans un mot, nous faisons demi-tour. Je suis un peu surprise, car je pense que mon mari va hurler après moi et même me taper dessus, mais non, nous marchons et il ne dit rien. L'heure qu'il est, je n'en sais rien, mais la nuit ne va plus tarder. Soudain, Yvan me prend le bras et il me dit : « *Tu veux, on se remet ensemble ? Nous avons une jolie petite fille...* »

Et moi, je vois plus le chemin tant je pleure.

« *Et comment nous ferons avec ta femme ?* » que je dis à travers mes larmes.

Lui, après un silence, il répond : « *Tu compliques toujours tout. Je veux être gentil avec toi et voilà que tu m'agresses...* »

Et moi je pleure, qu'est-ce que je peux faire d'autre ? Je trouve juste la force de lui dire : « *Qu'est-ce qui t'arrive ? Je te reconnais plus. Je ne veux plus de toi. J'élèverai toute seule ma Luba, c'est tout. Et surtout, je veux partir d'ici !* »

Je pleure tout le chemin du retour avec ma petite dans les bras. Je lui donne le sein en marchant. Nous sommes rendus à la nuit. En arrivant à la maison, le Yvan ne veut pas qu'on rentre : « *Reste dehors !* » Moi, je pense : « *On va crever comme des bêtes* », alors qu'une voisine ukrainienne vient nous chercher et nous emmène chez elle. Nous sommes trempées et déjà maman tousse. La voisine nous fait comprendre qu'elle s'appelle Marta. C'est aussi elle qui nous apprend que l'endroit où nous sommes s'appelle Morozovo. Alors que nous séchons autour du fourneau, quelqu'un tape comme un fou à la porte. Marta ouvre et mon Yvan est là : « *Si tu recommences à t'enfuir ou si tu préviens l'autorité russe, je te tue et je te découpe en morceaux, comme un porc, tu m'entends, tu m'entends ?* » qu'il crie. Moi, je suis terrorisée et je serre ma petite Luba très fort contre moi. Marta, notre hôte ukrainienne, aime rire et nous fait le signe que le Yvan il a bu et qu'il est dingue. Mais moi, j'ai peur. J'ai très peur. Seul le sourire de Marta me rassure un peu. Je crois que c'est le premier sourire que l'on m'adresse depuis que je suis là. Depuis... ? Je ne sais combien de temps tellement cela me semble une éternité. Je demande à maman : « *Nous sommes là depuis combien de temps ?* » Et la voilà qui pleure maintenant. C'est ma faute, j'aurais pas dû poser cette question. Nous restons chez notre nouvelle amie plusieurs jours ou plusieurs semaines, je ne sais plus. Seule la sœur d'Yvan est venue nous rendre visite et m'a apporté du lait. Je crois comprendre que Marta lui réclame des vivres car, pour cette femme qui vit seule, deux bouches de plus à nourrir est quelque chose de difficile.

Je ne sais pas quel jour nous sommes. D'ailleurs, depuis notre arrivée à Morozovo, j'ai perdu la notion du temps et le repère des jours. Mais aujourd'hui, l'autorité russe est revenue au hameau. Les travailleurs sont rentrés plus tôt du kolkhoze, peut-être parce que le side-car y est passé avant. L'autorité a une lettre pour mon mari. Une dizaine d'hommes lisent la lettre et la commentent. Yvan me dit : « *Tu dois partir demain à Koursk. Tu es convoquée au NKVD.* » Le mot est lâché. Le NKVD. Quatre lettres qui sonnent comme un tocsin. Mais moi, je ne le sais pas encore. Je vois les têtes se fermer, les regards presque compatissants, alors que moi je pense que je suis sauvée et que je vais pouvoir enfin repartir dans ma patrie. Yvan refuse que je m'y rende avec Luba et ma maman. Je conteste et je lui jette au visage : « *Si elles ne viennent pas avec moi, je dirai que tu m'as empêchée d'y aller.* » À cette menace, il consent à nous laisser y aller toutes les trois, mais il veut nous accompagner. Je passe, ce soir, une excellente soirée. Marta ne semble pas comprendre ma joie. Maman essaie de rassembler quelques affaires afin de reconstituer une ou deux valises. Elle s'aperçoit alors que l'on nous a presque tout volé. Ou, plutôt, que nos affaires ont été redistribuées. « *À quoi bon prendre nos affaires, les gens ici sont tellement pauvres qu'ils ont besoin de nos vêtements. Alors que nous, en France, nous pourrons en tricoter et en recoudre* », que je lui dis. Maman n'est pas très contente. Ses affaires, ce sont ses affaires. Ce soir, je n'arrive pas à m'endormir. Non par chagrin, mais par joie de pouvoir, je l'espère plus que tout, retourner dans ma patrie.

Ce matin, Yvan est triste et semble avoir peur. Moi aussi, si je dois le quitter pour toujours, je ne sais pas pourquoi mais je suis un peu triste quand même. Cependant, l'idée de partir de cet endroit immonde ne m'apporte que de la joie. Ici, nous sommes devenues comme des animaux et je n'aurais pas supporté y vivre plus longtemps.

Nous empruntons un transport au hameau et nous partons. Je me retourne pour faire un signe d'au revoir[1]. Les gens ne répondent pas. Après

1. J'ai appris beaucoup plus tard que lorsque l'on quitte un endroit tels une prison ou un camp il ne faut jamais se retourner. Sinon, cela signifie que vous y reviendrez. Superstition russe !

quelques heures, nous arrivons dans une petite gare où nous prenons un petit train, l'*électrichka* pour Koursk. Nous voyageons sans billets, mais Yvan montre la convocation et parle avec le contrôleur. Le voyage se passe bien, sauf Luba qui pleure et semble un peu malade. La joie de percevoir une issue à notre situation m'empêche de m'inquiéter. Koursk, en quelques mois, s'est beaucoup reconstruit et je ne reconnais pas l'endroit par où nous sommes arrivés. Je le dis à maman qui ne se souvient plus de son arrivée, qu'elle dit ! Yvan nous conduit devant un immeuble et ne veut pas rentrer avec nous. « *Allez-y, puisque c'est vous qui êtes convoquées. Entrez avec le papier.* » Je ne lui dis même pas au revoir et je pense qu'il va nous attendre dehors. Tout d'abord, un homme en uniforme nous amène dans une salle et ensuite dans un bureau où un autre homme nous accueille en français. Je suis très contente d'entendre ce monsieur me parler en français et je lui dis. Il sourit puis il me demande :

« *Où est votre mari ?*

— *Dehors, il n'a pas voulu venir avec nous.*

— *Très bien, je note* », qu'il dit.

Et ensuite je lui raconte tout : comment je suis venue en URSS et aussi que je veux retourner dans ma patrie.

« *Je veux retourner en France, s'il vous plaît, aidez-moi* », que je me mets à le supplier.

Il me répond : « *Je vais vous aider mais cela est difficile, et en attendant il faut que vous retourniez à Morozovo et que vous alliez travailler au kolkhoze.*

— Mais je ne veux pas retourner là-bas. Je veux rentrer dans ma patrie.

— Je vais parler avec votre mari. N'oubliez pas d'aller travailler au kolkhoze et je vous souhaite un bon retour », qu'il dit en nous raccompagnant.

Je suis tellement déçue. Je lui redemande de m'aider, je ne veux pas retourner au hameau, mais nous nous retrouvons dehors et Yvan est appelé à monter.

Nous attendons dehors tout le reste de la journée. Nous sommes sans argent et j'essaie de rentrer dans le bâtiment afin de revoir le monsieur qui parle français et savoir ce que fait mon mari. En vain. La nuit tombée, Yvan sort et moi je ne peux pas m'empêcher de lui dire : « *Mais qu'est-ce que tu foutais, hein ? Et quand est-ce qu'on peut repartir en France ?* » Mais il ne répond pas. À la gare, le dernier train est parti. Nous dormons dans la salle d'attente. Luba est malade. Elle pleure beaucoup et elle a la diarrhée. Cela m'inquiète. Le matin nous prenons l'*électrichka* jusqu'à Solntsevo.

Alors que nous arrivons en gare, je demande conseil à maman : « *Tu crois qu'elle a quoi, Luba ?* » Maman répond : « *Elle a la fièvre, elle doit voir un médecin.* » Je demande donc à Yvan d'aller voir le médecin. Je le supplie et je suis surprise car, depuis hier soir, il ne dit rien et ne conteste pas. Malheureusement, le médecin n'est pas là mais l'infirmière nous assure qu'il viendra à Morozovo. « *Ah, mon Dieu, c'est pas ma journée* », que je me dis alors que nous sommes sur le transport pour Morozovo. Moi qui espérais ne jamais y revenir !

Je ne sais pas pourquoi, mais nous nous installons chez mon mari. Peut-être parce que Marta est au kolkhoze. Je ne sais pas. Pourtant rien n'a changé sauf que ma petite Luba est bien malade, et maintenant je crains pour sa vie. Pauvre petite, et tout cela par ma faute ! J'attends le médecin. J'attends et je passe de l'eau sur le front de ma Luba. Qu'est-ce que je peux faire d'autre ? En attendant, j'écris dans mon cahier tout mon désespoir de la journée. Je suis découragée et à bout de nerfs quand, enfin, j'entends une moto. C'est le médecin, mais je ne parle pas le russe alors il envoie chercher Yvan. Mais quand il arrive, au lieu de traduire, voilà qu'il voit mon cahier et qu'il l'ouvre. Moi, je veux lui reprendre, mais il me l'arrache et me hurle dessus. Le médecin regarde ma petite Luba et parle avec ma belle-sœur. Moi, je veux récupérer mon journal où je note chaque jour ce que je fais et dans lequel j'ai presque toutes mes photos de France. Yvan sort avec le cahier, il lit des passages et me hurle dessus en me secouant et en me donnant des coups : « *Tu es folle ! Tu veux me faire tuer ? Tu veux me faire arrêter et me faire aller en camp ? Qu'est-ce que c'est que toutes ces conneries ?* » Et il me frappe, me traîne par terre et crie les pires grossièretés. Je suis pleine de boue. « *Jamais tu repartiras en France. Tu entends ?*

Jamais ! Et ne t'avise pas de te plaindre au NKVD, sinon je te tue ! »

Je suis toujours à terre. Les larmes me bouchent les yeux. Je vois à peine les kolkhoziens qui me regardent et certains qui me hurlent dessus. J'en oublie ma Luba. Je sais que maman va s'en occuper et moi je pense à mes photos, au Jura, à ma famille et je pleure. Je pleure tout ce que je peux.

Quand je me réveille, je ne me souviens plus de tout. Je suis chez la voisine ukrainienne, Marta, et je demande à maman : « *Qu'est-ce qu'il a fait de mes photos et de mon journal ?* » Maman me dit : « *Luba ne va pas très bien. Je te réveille pour que tu lui donnes le sein. Il faut qu'elle boive beaucoup, a dit le médecin.* » Moi, je le fais bien sûr, mais je me sens sale et j'ai mal partout. Aux bras et aux jambes aussi où mon mari m'a donné des coups de pied quand j'étais par terre. « *C'est la misère*, que je dis tout haut. *C'est la misère. Et mon journal, et mes photos ?* » Maman pleure en m'annonçant que Yvan a tout déchiré et brûlé dans le fourneau. Je pleure encore plus. Maman aussi. Marta essaie de nous consoler, mais elle se met elle aussi à pleurer. « *Je ne veux pas rester ici* », que je dis à maman. Elle me répond : « *La terre russe ne va pas nous prendre... elle ne peut pas nous prendre... Je ne veux pas mourir ici et être enterrée dans cette terre. Il faut repartir* », avant de tousser beaucoup et d'aller se coucher. Je crains qu'elle soit elle aussi malade.

Aujourd'hui, cela va mieux. Luba n'a plus trop la fièvre. Ni la diarrhée. Par contre, maman ne peut se lever. Elle est malade. Je ne sais pas ce qu'elle a mais elle ne va pas fort. Je vais en parler à Yvan qui me répond de me débrouiller et que si je veux un médecin, je peux aller au village, à pied, le chercher. Il sourit. Marta qui nous aide beaucoup me dit qu'elle va aller au village le lendemain. Je commence à noter quelques mots de russe sur un bout de papier et je crois que j'ai compris ce qu'elle veut m'expliquer. Je me surprends à prier. Je pense à mon église Saint-Désiré, à Lons-le-Saunier et je me dis qu'il faut que je fasse quelque chose ; que je ne peux rester toute ma vie ici à attendre que l'autorité russe me renvoie dans ma patrie. Il faut trouver un moyen.

Marta revient, à pied. Avec elle, l'institutrice qui vient parfois au *khoutor* faire la classe aux enfants. « *Et le médecin ?* » que j'essaie de demander à Marta. Celle-ci ne comprend pas, mais l'institutrice, une vieille femme, quand elle est entrée dans la maison de Marta me dit quelques mots de français. Elle me conseille d'aller à Moscou. Elle explique qu'il y a là-bas une ambassade française et qu'elle va m'écrire un mot en russe pour m'aider à y aller. Je remercie. Mais comment je peux aller à Moscou alors que je ne sais même pas aller au village toute seule ? Et le médecin, il va venir ? Elles ne comprennent pas. Je rassure maman en lui disant : « *Il va venir, ça va aller.* » Mais maman, qui a entendu quelques mots de notre conversation avec l'institutrice et Marta, me répond :

« *Elles ont raison. Tu dois nous laisser ici et aller à Moscou chercher de l'aide.* »

Je demande : « *Et Luba ?*

— *Elle est assez grande maintenant pour se nourrir au lait. Marta et moi pouvons nous en occuper* », répond maman.

Je suis effrayée. Comment je vais faire pour aller jusqu'à Moscou ? Je n'ai pas d'argent, je ne parle pas russe et je ne sais pas comment y aller.

Maman m'encourage : « *Il faut y aller. Tu dois prendre tes papiers français et le certificat de rapatriement et aller à Koursk prendre le train. Ils te laisseront y arriver, j'en suis sûre.*

— *Et Yvan, il va me rattraper et encore me battre !*

— *Pars la nuit jusqu'à Solntsevo et tu prendras l'*électrichka *pour arriver à Koursk.*

— *Je veux bien y aller, mais avec toi, maman, et Luba.*

— *Non, ne sois pas stupide. Moi, je suis malade et Luba est mieux à t'attendre ici. Nous prendrons soin d'elle.* »

Je réfléchis et je me dis que c'est probablement la seule solution si je veux rentrer en France.

« *Oui, je vais partir la nuit prochaine.* »

Marta me regarde et m'encourage en me disant : « *Da, da, karacho.* » La brave Marta me prépare quelques morceaux de lard qu'elle sort de je ne sais où. Un œuf aussi et du pain qu'elle cuit elle-même. Elle insiste pour ajouter une bouteille de samagone, l'alcool tord-boyaux qui est fabriqué ici dans les maisons. Je reprends espoir. Ce long voyage est ma seule chance pour retourner en France, et je veux plus que tout retourner dans ma patrie. J'attends qu'il fasse bien nuit, je donne mon lait à Luba une dernière fois et je la serre dans mes bras, j'embrasse maman, et je m'en vais faire les quinze kilomètres jusqu'à Solntsevo dans le noir, à pied et sans argent.

Chapitre 4

La désillusion

(1948-1952)

J'essuie mes larmes, j'arrête pas de pleurer, et je peux pas dire si c'est la peine de laisser ma fille seule avec maman ou si c'est la joie de quitter Morozovo. L'espoir de revoir mon pays aussi. Quinze kilomètres, c'est très long, surtout la nuit. Mais je ne me plains pas car je sais que c'est la marche qui va me permettre de retourner dans mon pays et de retrouver la liberté. Ce que vont dire les gens en France, de me voir sans mari avec une petite fille, je m'en moque. Moi, tout ce que je veux, c'est revoir ma patrie. Je vais à Moscou parce que l'on m'a dit qu'il y a là « *pasolske* », une ambassade française. Je suis résolue et j'ai beaucoup de courage pour repartir en France. Donc, « *quinze kilomètres, c'est quoi ? Rien !* » que je me répète tout le chemin. Ouf ! je suis tout de même bien soulagée quand j'arrive enfin au début du village, alors que le jour pointe tout juste le bout de son nez.

Je crois qu'aujourd'hui j'ai de la chance car l'*électrichka* est sur le quai lorsque j'arrive et j'entends « *Koursk, Koursk...* ». Je monte et je reste dans un coin, à côté de quelques kolkhoziennes endormies. Personne ne me demande rien et je prie pour que cela continue. Mes prières sont exaucées : non seulement je n'ai pas de contrôle, mais personne ne m'a adressé la parole. J'espère que cela va continuer, car j'avoue que je suis un peu perdue en descendant à Koursk. Inutile de regarder les panneaux, je crois qu'il faut me résoudre à demander quel train prendre, mais je n'ose pas. J'observe les gens. À qui demander ? Cet homme âgé ? Cette jeune femme ou le groupe là-bas ? Je n'arrive pas à me décider et déjà un train part de la gare. « *Et si le Yvan, il me suit ?* » que je me dis tout d'un coup ! Et sans hésiter, je demande : « *Moscou ?* » devant un train dans lequel quelques personnes montent. « *Da, da, Mockva* », me répond un homme pressé qui me bouscule en passant devant moi. Je monte alors que le train se met en marche ; il était grand temps.

Je n'ose pas m'asseoir et je préfère rester à côté de bagages au bout du wagon, près du passage en accordéon qui relie les wagons entre eux. Je pense que maintenant je suis sauvée et que le Yvan, jamais il pourra me rattraper avant Moscou. Je m'endors soulagée, mais tellement fatiguée que je me réveille difficilement quand une femme et un homme me secouent le bras. Bien sûr, je ne comprends rien. Je leur montre mes papiers mais ils n'en veulent pas. Je sais qu'ils veulent voir mon billet, mais je n'en ai pas. « *Mon Dieu, aidez-moi* », que je dis en français. Bien sûr, eux ne comprennent rien non plus. Ils me font signe de descendre à la prochaine station. Moi je dis : « *Niet* » et j'essaie de leur expliquer que je dois aller à Moscou, à l'ambassade française. Aussi, lorsque le train ralentit, je prends peur et je leur montre le papier, en russe, que l'institutrice a écrit pour moi. Ils lisent et ils n'arrêtent pas de causer entre eux. La femme parle très fort et ne semble pas d'accord avec l'homme qui me regarde toujours. C'est vrai qu'à vingt et un ans je suis plutôt une jolie jeune femme, mais son regard est très gênant. Je ne sais où regarder, et je sais aussi que s'ils me font descendre, je suis perdue. Ils me parlent de « Toula ». Je ne sais pas ce que c'est, « Toula ». Une ville ? Un service de police ? En attendant, ils me font entrer dans un compartiment vide, probablement réservé pour eux, les contrôleurs. J'entends le bruit du verrou. Je suis enfermée. Je me souviens de mon frère Louis à Lons-le-Saunier. Il disait que pendant la guerre c'étaient les prières qui sauvaient la vie de ceux qui étaient en péril. Alors, je me rappelle des prières du curé de Lons et je commence à prier. Je mets toute ma confiance en Dieu parce que je comprends que là je suis vraiment abandonnée.

J'entends des pas. Le train ralentit. Dehors, il y a du bruit. Nous devons être arrivés dans une gare. La porte s'ouvre et la femme me pousse dehors. Je me retrouve maintenant devant un homme en uniforme qui me hurle dessus. Mon Dieu, qu'est-ce que je vais devenir ? Je veux lui montrer mes papiers et le mot de l'institutrice, mais il ne veut pas regarder. Il parle avec les contrôleurs et me serre fort le bras. Je crains que le train parte sans moi. « *Je vous prie de ne pas m'arrêter, je dois aller à l'ambassade française à Moscou* », que je lui dis alors que je sens les larmes arriver. Comment je vais m'en sortir ? Le train est parti maintenant, et je suis cet homme je ne sais où dans la gare. Il me fait attendre dans un bureau.

Je ne sais depuis combien de temps je suis ici quand la porte s'ouvre. Un homme entre. Il me sourit d'un sourire qui ne me dit rien de bon. Je ne sais pas qui il est et je ne comprends pas ce qu'il me dit. Il doit être important, ça j'ai bien compris. Chef de la gare ? de la police de la gare ? Je ne sais pas. Il s'assoit à côté de moi et veut me prendre la main. Moi, je lui montre le papier de l'institutrice et je dis que je veux aller à Moscou. « *Da, da* », qu'il me répond. Je crois qu'il a compris. Et là, je n'en reviens pas ! Il va derrière son bureau et écrit sur un papier et il me fait comprendre que c'est un billet pour Moscou. Mais il ne me le donne pas. Pas tout de suite. Je vous ai déjà raconté que je suis une jolie jeune fille. Lui, c'est un homme. Mon Dieu… Cauchemar…

Je suis assise dans ce train qui m'emmène à Moscou et je regarde la Russie à travers la fenêtre. C'est très pauvre, c'est un pays de misère. Par moments, je pleure. J'ai peur aussi. Comment je vais trouver l'ambassade française ? Je me sens sale. Très sale. Souillée. Mes seins me font terriblement souffrir et ils coulent. J'évite de croiser le regard des gens. Je dois être horrible et j'ai peur d'être à Moscou. Pourtant, ça y est, j'y arrive. Où aller ? Je cherche la sortie mais je ne trouve pas. Je n'ose pas demander. Ma première idée est de sortir et voilà que je ne trouve pas la sortie. J'essaie de suivre des gens, mais ils passent dans des souterrains et je me retrouve sur un autre quai. Ils descendent les escaliers et arrivent dans une grande salle. Que faire ? Je crois que je n'ai pas d'autre choix que de demander aux miliciens. Tout de suite, je leur montre le mot de l'institutrice et mes papiers. Ils ne sont pas méchants et semblent me dire : « *Ne pleure pas.* » Je crois que je suis tombée sur de bons miliciens. Un me fait signe de le suivre et il sort de la gare. Là, il parle avec quelqu'un qui me fait monter dans une voiture. Mon Dieu, où il m'emmène ? J'ai très peur, mais je comprends que j'ai beaucoup de chance quand il me dit : « *Pasolske, franssouse, pasolske.* » Je suis sauvée, que je pense ! Je descends et je me dirige vers l'ambassade. Encore un milicien, moins gentil, celui-là. Il veut me repousser et me dit de ne pas avancer. Je lui montre mes papiers français et aussi le mot en russe. Il part avec. Je suis là à attendre. J'ai mal aux pieds, mal aux seins, et j'ai le lait qui coule et je pleure maintenant. Pourtant, il ne faut pas. Que vont-ils penser de moi, à l'ambassade, si je pleure ? Il me faut arrêter. Le milicien revient et me redonne mes papiers. Il ne dit rien, mais je vois une femme derrière la grille qui me fait signe d'avancer.

Elle m'ouvre et se présente[1]. Moi, je commence à lui raconter mon histoire, mais elle dit : « *Aujourd'hui, il n'y a personne pour vous recevoir et nous n'allons pas parler de vos affaires. Vous allez vous reposer et demain vous aurez un rendez-vous avec un diplomate.* » Je la remercie. Elle me fait entrer dans une chambre et dit de me déshabiller. Elle me donne une robe de chambre. Moi, j'ai honte et je ne veux pas me déshabiller, de plus avec mon lait qui coule… j'en ai partout maintenant. La dame dit : « *Prenez une douche et je vais revenir avec un appareil pour vous retirer votre lait. Une collègue en a un. Ne vous inquiétez pas et reposez-vous. Je reviens.* » Moi, je remercie. La douche est certainement la meilleure douche de toute ma vie. Je reste et je reste encore sous l'eau pour faire partir toutes les saletés du voyage.

L'eau chaude coule toujours sur moi quand j'entends la femme me parler de la pièce à côté. Je sors et elle me sourit : « *Venez, venez…* », qu'elle me dit. « *Merci, merci…* » Ce sont mes premières larmes de joie depuis bien longtemps. Après m'avoir tiré mon lait, la dame me donne des vêtements et m'apporte un repas. Le repas est tel que j'avais oublié que cela existe. Le meilleur de toute ma vie. J'en pleure. Je veux lui raconter mon histoire mais elle ne veut pas : « *Demain, demain* », qu'elle dit.

---

1. Aujourd'hui, malheureusement, je ne sais plus son nom, mais je la remercie beaucoup de tout ce qu'elle a fait pour moi.

J'ai dormi comme une morte. Je n'ai pas dormi ainsi depuis la France. Je me sens bien quand la dame de l'ambassade m'apporte à manger et tous mes vêtements lavés et repassés. D'autres vêtements aussi. Une autre femme me fait un bandage pour mes écoulements et me donne des médicaments. J'ai la fièvre. Mes pieds sont gonflés et j'ai encore très très mal aux seins. La dame me rassure : « *Aujourd'hui, reposez-vous. Vous devez vous soigner et demain vous rencontrerez un diplomate.* » Je passe cette merveilleuse journée à beaucoup dormir (car j'avais oublié ce que c'est qu'un vrai lit), à me laver, me relaver et manger tout ce que l'on m'apporte. Mais aussi, je pense à ma Luba et à maman. J'espère qu'elles vont bien et je regrette qu'elles ne sont pas avec moi pour partager tout ça.

Ce matin, je crois que je me suis réveillée tôt. Je n'ai pas de montre, mais j'en ai l'impression. J'ai moins de fièvre, mes seins me font toujours mal et mes pieds sont encore un peu gonflés. Une autre femme vient me changer mon bandage et elle m'apporte des médicaments en me recommandant de les garder. Aussi, je mets les pantoufles que la femme m'a données pour aller au rendez-vous avec le diplomate. Il s'appelle Jean. La dame, très gentille toujours, m'accompagne et me rassure : « *Ne vous inquiétez pas, il n'est pas méchant et cela va bien se passer.* » Nous traversons des couloirs, puis nous entrons dans un grand bureau où un monsieur travaille. Il se lève et vient vers moi.

« *Je veux rentrer dans ma patrie. Je veux retourner en France* », que je lui dis tout de suite, avant de tomber en larmes. J'ai honte mais je le supplie : « *Aidez-moi, aidez-moi, s'il vous plaît...* » Je lui raconte mon histoire et lui me répond : « *Oui, je sais, je sais.* » Mais non, justement il ne sait pas. Quelques instants plus tard, il me coupe encore la parole et il me dit :

« *Je vais vous aider à rentrer en France. Laissez-moi tous vos papiers français. Maintenant, nous allons vous raccompagner à la gare et vous allez repartir chez vous retrouver votre maman et votre fille. Ne vous inquiétez pas, nous allons vous acheter un billet, vous donner de l'argent et vous allez rentrer chez vous...*

— *Mais ce n'est pas chez moi. Chez moi, c'est en France !*

— *Vous ne pouvez pas rester ici et vous ne devez pas revenir ici. Nous gardons vos papiers et dans quelque temps nous allons vous envoyer des documents pour que vous puissiez rentrer en France*, qu'il me promet.

— *Mon mari va me frapper. Je ne veux pas retourner seule là-bas, vous devez venir chercher ma maman et ma fille* », que je lui réponds.

Et soudain, j'ai peur. Lui ne me rend pas mes papiers et il me dit au revoir en me raccompagnant à la porte. Je suis très inquiète et je suis déçue. La dame me dit : « *Gardez espoir. Vous allez bientôt recevoir notre visite et de nos nouvelles. Il vous l'a dit. Ayez confiance.* » Moi, en elle, j'ai confiance et je reprends espoir. Elle a raison, tout va bien se passer. Je la remercie de tout mon cœur quand nous nous séparons. Plus tard, une voiture m'accompagne à la gare. Elle est conduite par un monsieur qui ne me parle presque pas. Mais il m'emmène jusqu'à mon wagon et me donne de l'argent, des roubles (que je tiens dans la main pour la première fois) et mon billet de train pour aller à Koursk. Mes papiers, je les ai tous laissés à l'ambassade, mais ils ne m'ont rien donné d'autre, je rentre donc à Morozovo sans papiers. Sauf mon certificat de rapatriement que j'ai gardé. Mais je ne suis pas inquiète car j'ai un vrai billet de train et de l'argent. Je veux remercier cet homme qui m'a accompagnée et je veux lui parler, mais il ne m'écoute pas et il repart. Il doit être bien pressé. Moi, j'essaie de sourire et de me dire que je n'ai plus que quelques jours à vivre ce cauchemar dans ce pays de misère, mais j'ai peur de la réaction de mon Yvan. Qu'est-ce que je vais lui raconter ?

Morozovo. Je suis de retour dans cet endroit de malheur ! Maman est toujours malade et Luba va bien. Marta me pose de nombreuses questions, et je ne comprends rien de ce qu'elle me demande. Elle est tout excitée de me voir aussi belle et me fait tourner sur moi-même afin de mieux regarder mes vêtements bien repassés. Mon Yvan, il n'est pas là. Alors que je sors chercher de l'eau au puits, je croise sa première femme qui me crache dessus et me crie dessus. Je retourne chez Marta en courant. Maman ne cesse de me répéter : « *Tu dois aller parler à ton mari. Il est venu chaque jour demander où tu étais. Il était comme fou. Tu dois lui expliquer.* » Moi, j'en ai pas envie et j'ai peur. Le jour se couche. La porte s'ouvre, sans même qu'il frappe avant d'entrer, et tout de suite je vois qu'il a bu. Je n'ai le temps de rien dire que je reçois le premier coup. Marta hurle, maman et Luba pleurent. J'essaie de me protéger, mais il me frappe toujours. Entre mes bras, j'aperçois Marta qui tape sur Yvan mais cela ne l'arrête pas. « *Salope, salope, où tu étais ?* » qu'il crie avec aussi des mots en russe. Pas de doute possible, le rêve est bien terminé et je suis bien rentrée à Morozovo. Cauchemar !

Cela fait plus de deux semaines que je suis rentrée et la vie à Morozovo est toujours aussi misérable. J'attends une visite de l'ambassade, mais chaque jour qui passe me décourage un peu plus. Mais je veux repartir dans ma patrie. Je le veux. Plus que tout, je le veux. Par moments, je pense que je vais repartir bientôt, et par moments, j'ai peur de devoir rester ici. Depuis que je suis revenue de Moscou, j'attends, j'attends, j'attends…

Je ne sais pas depuis combien de temps exactement je suis allée à Moscou, mais aujourd'hui est un grand jour. Je le sais dès que j'entends le bruit du side-car de l'autorité russe. L'autorité a une lettre pour moi. Je suis convoquée au NKVD, à Koursk. Yvan semble très inquiet et son père l'engueule encore. Moi, je suis soulagée. Je savais que je pouvais faire confiance à monsieur Jean de l'ambassade française. Je le savais. Je suis sauvée. Yvan me dit que puisque je suis convoquée seule, je dois y aller seule. « *Pas question* », que je lui dis. Et, comme pour la première fois : « *Ou maman et Luba viennent avec moi, ou je leur dis que tu voulais pas me laisser y aller.* » Comme pour la première fois, Yvan ne dit rien et nous partons avec maman et Luba. Sur la charrette, je me retourne pour saluer Marta[1]. Six heures plus tard, nous arrivons au bureau du NKVD et je reconnais tout de suite le monsieur qui nous a reçues la première fois. Je lui fais un grand sourire et je lui dis : « *Merci, merci beaucoup de nous aider. Je suis très contente de vous revoir et je suis très heureuse de bientôt repartir dans ma patrie.* » Lui semble surpris, me fait m'asseoir, prend un dossier, commence à lire des papiers et enfin dit :

« *Vous ne m'avez pas écouté, camarade. Je crois que mon français ne doit pas être suffisamment bon... Je vous avais dit qu'il fallait aller travailler au kolkhoze. Or, j'apprends que non seulement vous n'y êtes toujours pas allée mais qu'à la place vous vous offrez des voyages à Moscou sur le dos des camarades travailleurs. Vous savez que vous êtes nuisible à l'économie du pays et que je peux vous faire arrêter pour cela ?* »

Moi, je comprends rien de ce qu'il me dit et je lui réponds : « *Aidez-moi, s'il vous plaît, aidez-moi à repartir dans ma patrie.* »

Lui : « *Camarade Renée, la frontière est fermée. Vous ne pouvez pas repartir dans votre patrie. Et je vous rappelle que votre fille est*

1. Je refais la même faute que la première fois. Superstition russe !

soviétique et qu'aucune demande de sortie d'Union soviétique n'a été adressée pour elle. »

Il poursuit : « *Plus jamais vous ne quitterez l'URSS. Vous êtes désormais citoyenne d'Union soviétique.* »

Et moi : « *Mais non, je suis française. Française !* »

Il rit. « *Présentez-moi vos papiers français, s'il vous plaît, madame.* »

Et il rit encore... Moi, je pleure.

« *Vous recevrez très bientôt vos papiers soviétiques. En attendant, je vous interdis de sortir du district de Solntsevo et je vous ordonne d'aller dès demain travailler avec vos camarades, au kolkhoze. Le bureau du travail de Solntsevo attend aussi votre visite pour l'enregistrement. Au revoir, camarade, et ne vous avisez plus jamais d'essayer de rentrer en contact avec l'ambassade française à Moscou. Vous seriez immédiatement arrêtée et condamnée pour espionnage et relation avec une puissance étrangère, la bourgeoisie capitaliste, ennemie du peuple soviétique...* » Je n'entends plus ce qu'il dit. Je suis effondrée et je pleure. Je veux mourir, je ne veux pas vivre à Morozovo. Je ne veux pas. Je veux rentrer dans ma patrie.

Je ne comprends pas ce que c'est, la Russie. Enfin, l'Union soviétique. Mon Yvan me dit que je dois apprendre le russe, mais comment apprendre le russe ? Comment comprendre ?

« *Qu'est-ce que nous allons devenir ?* » C'est cette question que je me pose durant tout le trajet du retour. Arrivées à Morozovo, tous nous regardent du coin de l'œil et j'ai très peur de les regarder. Je suis surprise car Yvan ne hurle pas. Peut-être parce qu'il n'a pas bu ? Il demande : « *Pourquoi tu vas chez cette sorcière de Marta ? Viens chez toi à la maison.* » Et moi, je pleure tout ce que je peux. C'est pas une maison, c'est un cauchemar. Le soir, je parle avec maman qui me dit : « *C'est peut-être mieux de retourner chez ton mari car ici, nous avons très faim et il n'y a pas à manger pour nous tous les jours. Peut-être que chez ton mari nous aurons plus à manger.* » Moi, je suis perplexe, il a déjà une femme et même si son ménage tourne pas rond... Voilà que quelqu'un frappe à la porte de Marta. C'est mon mari : « *Dis donc, tu ne veux plus de moi et tu ne veux pas rentrer chez toi ?* » Moi, je suis surprise par le ton. Je ne sais pas ce que cela signifie, cette première gentillesse depuis bientôt trois ans. Mon Dieu, trois ans !

C'est maman qui cause avec lui et c'est mieux ainsi. Elle promet pour moi que demain j'irai travailler au kolkhoze et que nous irons ensemble à l'enregistrement au bureau du travail. Pour le moment, moi je veux rester ici, chez Marta, et nous y restons. On a emménagé et je fais toujours quelque chose pour elle, du ménage, de la couture, le manger, aller chercher l'eau au puits... Je fais la besogne pour ne pas être un trop gros poids pour elle. J'ai aidé aussi à refaire le sol, car par endroits la terre est creusée. Aussi, quand Marta rentre le soir, la soupe – quand nous avons de quoi en faire – est prête, le linge mis à sécher et le poêle chauffe. Il y a aussi un petit potager derrière la maison et j'aide à l'entretien. Je fais mon possible pour l'aider et elle, elle commence à m'apprendre le russe. Maman refuse catégoriquement de dire et d'apprendre un seul mot.

Maintenant, je travaille au kolkhoze, la ferme agricole. Le camion nous prend au bout du chemin qui mène à Morozovo, il roule dix minutes puis le chauffeur s'arrête devant une grande maison où il y a de nombreuses inscriptions en rouge ainsi que des banderoles et les symboles de l'Union soviétique, la faucille et le marteau. L'homme qui m'accueille semble gentil. Un paysan. Je comprends que je dois suivre les autres femmes et aller travailler aux champs. Lorsqu'il m'invite à entrer dans une salle, un atelier, il ne reste que deux ou trois outils contre un mur. Il me fait signe de les prendre et il me montre les femmes qui marchent vers les champs. Le kolkhoze n'est pas très grand. Quatre bâtiments. Un pour les bureaux, les ateliers et la cantine. Un pour les récoltes, un pour les animaux et un pour les machines. Ce n'est pas très beau, ni très propre. Le kolkhoze est très vieux et cela se voit. Les femmes, en ce premier jour, m'ignorent. Moi, je les copie et aussi j'essaie de lire sur leurs lèvres les mots russes qu'elles disent. Ensuite, je récite ces mots. Parfois sans comprendre ce qu'ils veulent exactement dire mais comment je peux faire ? Ici, personne ne parle le français et je dois bien essayer de communiquer avec les autres.

À la pause de midi, lorsqu'une grosse femme arrive avec le manger, elles se jettent toutes sur les rations et il ne me reste presque rien. Elles rient et je suis bien triste. J'ai faim, très faim mais surtout je veux avoir la ration pour ramener à la maison, pour Luba et maman. Demain, je ne me ferai pas avoir et je me battrai pour avoir ma part[1].

Chaque matin, je pars aux champs. Chaque jour bien travaillé, j'ai un bâton sur mon livret. Après quelques jours, en fonction du nombre de bâtons, je reçois une certaine quantité de pommes de terre ou de farine. Parfois du blé, des betteraves, du sucre, du savon ou ce qu'il y a à donner au kolkhoze. Aussi, je reçois de la nourriture pour les pauses, mais je cache et je garde pour maman et Luba. Chaque matin les femmes vont aux champs en chantant des chansons soviétiques et des chants patriotiques. Moi, j'essaie d'apprendre mais je n'y arrive pas. Aussi le chef de la brigade me demande :

« *Pourquoi tu ne chantes pas comme les autres camarades ?* »

Moi je réponds : « *Je ne connais pas le russe et je ne connais pas les chants patriotiques.*

---

1. Chaque jour je rapportais presque la totalité de mon repas du midi pour ma fille et ma maman. Quand celle-ci disait : « Et toi, tu as mangé ? » Je répondais : « Oui, oui, maman, j'ai mangé. Ceci c'est pour vous. » En réalité, je n'avais pas mangé mais qu'est-ce que je pouvais faire ?

— *Mais tu dois chanter, tu dois chanter* », qu'il me répète.

Les autres femmes lui expliquent, je crois, que je ne parle pas et que j'apprends un tout petit peu le russe et il décide : « *Tu dois chanter donc chaque jour, nous te laisserons chanter une chanson française. C'est obligatoire de chanter donc tu dois chanter comme les autres camarades !* »

Moi, je ne peux pas m'empêcher de rire et j'approuve de la tête.

« *Davaï, davaï* », qu'il répète.

Et moi, je commence à chanter *La Marseillaise* et il semble qu'ils apprécient.

« *Karacho, c'est bien, chante cette chanson* », qu'il dit.

Non que je chante bien, mais je chante et je rentre dans la norme de la kolkhozienne modèle. Demain, je chanterai une chanson que nous chantions à l'église Saint-Désiré de Lons-le-Saunier[1].

À Morozovo, comme au kolkhoze, il n'y a pas d'argent. Tu travailles, tu reçois des marchandises. Aussi tu peux, si tu veux, troquer ce que tu reçois contre d'autres choses. Maman se porte mieux et elle tricote. D'abord pour nous-mêmes, car Yvan et sa famille de malheur ont été vendre nos habits apportés de France pour boire. « *Il a*

1. Un jour, nous avons reçu la visite du chef du district. J'ai chanté *La Marseillaise* et des chants religieux pour les kolkhoziens. Le chef a apprécié et il m'a encouragée à continuer à chanter ces chansons !

bu mes affaires de France », que je dis à maman. Mais maman tricote aussi pour échanger contre de la nourriture. Pour la fête, j'échange quelque chose contre un poulet, ou maman et moi, nous recousons en échange de repas. À Morozovo, mais aussi dans les hameaux aux alentours d'où les femmes viennent au même kolkhoze. Voilà, maintenant nous survivons comme nous pouvons et j'essaie encore d'apprendre le russe. Ma petite Luba grandit, elle trotte partout et elle parle maintenant bien. Et le russe, et le français avec sa grand-mère. Avec moi, cela dépend des jours : parfois en français, parfois en russe lorsque c'est simple. Car ma petite Luba se rend bien compte que sa maman ne parle pas bien. J'espère qu'elle n'aura pas honte quand elle va grandir.

Aujourd'hui m'arrive une chose incroyable. Oh, mon Dieu, qu'elle est grande, ma surprise, lorsque je reçois une lettre de France ! D'abord, je pense que c'est mon frère, Louis. Puis je l'ouvre et je lis que c'est Germaine, la Française qui était avec moi dans le train pour venir en Russie, mais... Mais qu'est-ce qu'elle fait donc en France ? Qu'est-ce qu'elle fait en France ? Comment elle a pu rentrer en France ? Mes yeux se remplissent de larmes et je n'arrive pas à y croire. Germaine a pu rentrer en France ! Oh, mon Dieu, mon cœur se serre. Je suis à la fois heureuse et terriblement malheureuse. Pourquoi elle et pas moi ? Pourquoi ? Je pleure et je pleure. Puis, enfin, je trouve la force de lire son histoire[1] :

« À mon arrivée, j'ai vu la misère, les conditions sordides dans lesquelles vivaient les gens et j'ai tout de suite voulu revenir sur mes pas. En arrivant là où habitait sa famille, mon mari a été arrêté et jeté en prison. Moi, j'ai dû apprendre à survivre seule et comme j'avais décidé de ne rien demander aux autorités et de refuser de prendre des papiers soviétiques, je n'avais pas droit aux cartes de ravitaillement. J'étais très mal vue et les autres femmes me considéraient d'un très mauvais œil. Quand j'allais par exemple chercher de l'eau au puits, elles attendaient devant ma porte et volaient mon seau ou le renversaient. J'en pleurais, mais je ne cédais pas. J'y retournais et je recommençais jusqu'à ce que j'arrive à passer. J'en ai bavé. Heureusement, une voisine, qui avait perdu ses enfants pendant la guerre, m'a aidée en me donnant à manger et en me réconfortant, sinon je serais devenue folle. Si je n'avais pas eu mon enfant, Serge, avec moi, aurais-je eu la force de vouloir m'en sortir coûte que coûte et tout faire pour repartir ? Je n'en suis pas certaine, tellement la vie était dure, inhumaine et sans issue.

« Six mois plus tard, mon mari a été relâché. Nous avons discuté de notre situation et il m'a

1. La lettre de Germaine ayant été égarée, nous reproduisons ici les souvenirs que Germaine Sergent a confiés à Nicolas Jallot (*NdE*).

encouragée à repartir. Il m'aimait beaucoup et il a décidé que pour moi et notre fils, Serge, il fallait repartir en France.

« J'avais réussi à conserver mes papiers français et, en février 1948, le général Catroux[1]*, ambassadeur de France à Moscou, a organisé mon rapatriement. Mais Serge, considéré comme soviétique, devait en revanche rester en URSS. Mais je ne pouvais me résoudre à partir sans mon fils : "C'est un sujet soviétique, vous ne pouvez pas l'emmener", me disaient les autorités soviétiques. Mais il était hors de question que je reparte sans lui, naturellement. Avec mon mari, nous avions décidé qu'il fallait tout essayer. Nous l'avons enveloppé dans une couverture et dissimulé dans un paquet. Je l'ai posé parmi les bagages. Heureusement, il n'a pas pleuré et personne ne l'a découvert. J'ai eu beaucoup de chance. Nous étions sauvés et j'ai pu revenir en France. »*

Comme je suis heureuse pour celle que je considère comme ma sœur ! Et terriblement malheureuse ! Je me sens plus seule encore sur cette terre qui n'est pas la mienne. Je veux, plus que tout, rentrer dans ma patrie. Comme Germaine. Je fais lire cette première lettre de France à maman. Elle ne dit rien mais elle ne peut retenir

1. Catroux : ambassadeur de janvier 1945 à avril 1948, remplacé par Chataigneau et une nouvelle équipe de diplomates. Ceux-ci seront beaucoup moins compréhensifs à l'égard des Français bloqués en URSS. Ces cas « humanitaires » ne pèsent que peu de poids face à la grande politique et à l'amitié franco-soviétique (*NdE*).

ses larmes et nous sommes maintenant deux à pleurer. Maman part désormais chaque soir s'asseoir sous un arbre, à une centaine de mètres de la maison. Elle reste là une heure ou deux à regarder le ciel. Ce soir, je la suis et je lui demande :

« *Qu'est-ce que tu regardes ?*

— *Je regarde le soleil se coucher, car là-bas c'est la France. Le soleil de France...* »

Parfois, nous allons jusqu'à Solntsevo où, hier, j'ai posté ma première lettre pour Germaine. Je lui raconte tous mes grands malheurs, à ma sœurette chérie. J'espère qu'elle arrivera là où je lui écris, chez ses parents dans le Pas-de-Calais. Je lui annonce aussi que la première femme de mon mari est partie avec leur fille. Au hameau, les gens disent qu'elle est retournée dans sa famille. La famille du Yvan, ils veulent me faire croire que c'est lui qui l'a chassée et que je dois revenir à la maison. C'est probablement ce que je vais faire, car c'est très difficile dans les villages, en Russie, de vivre seule. Et pour les gros travaux, on s'épuise. J'en parle avec maman, mais elle ne dit rien. Je vois bien qu'elle se laisse mourir de chagrin. Certains jours, elle ne parle qu'avec Luba et je suis très inquiète. Aussi, maman prie tous les jours. Souvent, je la surprends en train de prier. L'autre jour, je me suis énervée : « *Où il est, ton Dieu ? Tu as vu comment nous sommes et ce qu'il nous a fait ? Nous sommes comme des bêtes, sans rien à manger et tu pries ton Dieu ! Je ne vois que le diable depuis que je suis ici. Il est où, ton Dieu ?* » Maman s'est mise à pleurer et elle a continué à prier. Parfois, je ne la comprends pas et surtout, je ne comprends pas pourquoi elle se laisse aller ainsi...

Maintenant que la première femme de mon Yvan est partie, on me considère mieux dans la famille. Marta est un peu triste de nous voir réemménager chez mon mari, mais j'ai pris la décision et je crois que c'est bien ainsi et que notre vie sera moins difficile. Yvan veut et demande. Moi, avant, je veux parler avec lui et je lui demande pourquoi il veut que je revienne dans sa maison. « *Et si ta femme revient ? Comment c'est que tu vas faire pour donner à manger à tes femmes et à tes enfants ?* » Il répond : « *Tu veux, on se remet ensemble et tu es ma femme.* » Moi, je sais plus que penser. Et voilà mon Yvan qui pleure comme une fontaine ! Moi, je lui pardonne et j'accepte qu'on revive ensemble.

Aujourd'hui, je décide qu'après ma journée de travail au kolkhoze je vais allumer le fourneau, je prépare la soupe avec les légumes que j'ai volés au kolkhoze. Pas une soupe comme les Russes mais la soupe française. Le dîner se passe bien, même si je vois que les hommes préfèrent se partager le morceau de lard qui reste d'hier. Mais je dois m'imposer comme la femme d'Yvan et aussi gagner ma place à table et faire copine avec ma belle-sœur, alors je mets l'eau à chauffer pour laver le linge, etc. Ma belle-sœur ne parle pas beaucoup et quand elle parle c'est pour faire sa langue de vipère, mais elle n'est pas méchante avec moi et elle s'occupe souvent de Luba. Mais avec maman, elles s'ignorent. Je sais qu'elle dit beaucoup de mal de maman et qu'elles ne s'aiment pas. Malgré tout ce n'est pas trop difficile pour vivre ensemble.

Nous sommes dimanche et nous ne travaillons pas au kolkhoze. Avec Yvan, je blanchis la maison. Il me crie les pires grossièretés car je ne sais pas chauler les murs. Moi, je n'ai jamais fait cela et on se dispute quand arrive le side-car de l'autorité russe. C'est une lettre pour moi, mais pour la première fois, elle ne me cause pas de joie et j'ai peur. J'ai peur d'aller à la convocation du NKVD, car les gens racontent des choses terribles que je n'ose même pas répéter ici. On dit aussi que beaucoup de gens sont convoqués et après on ne les revoit plus jamais[1]. Maintenant j'ai très peur d'y aller et je sais qu'ils sont très méchants. Je n'oserai plus dire le contraire de ce qu'ils veulent et je vais accepter tout ce qu'ils me disent. Yvan arrête de chauler et part faire un tour. Je crois qu'il est fâché et j'ai peur qu'il me tape encore ce soir. Quand il revient, je lui dis : « *Je vais aller toute seule cette fois-ci.* » À ma grande surprise il répond : « *Non, je vais avec toi. Je vais emprunter un transport pour aller jusqu'à Solntsevo.* » Ce soir, personne ne parle

---

1. Plus tard, j'ai su qu'ils étaient envoyés dans les camps que vous connaissez en France sous le nom de goulag.

L'acronyme goulag (Glavnoïe Oupravlenie Laguereï – Administration principale des camps) ne désigne pas les camps proprement dits, mais l'administration pénitentiaire dans son ensemble (*NdE*).

pendant le souper et moi je n'arrive pas à dormir. Je crois que mon Yvan non plus. J'ai peur de ce qu'ils vont me dire. « *Mon Dieu, aidez-moi* », que je prie…

Pour la première fois, je suis effrayée en entrant dans cette bâtisse. Un homme en uniforme demande à Yvan d'attendre et moi je monte à l'étage. L'officier qui me reçoit n'est pas le même qu'avant. Je ne sais pas si c'est bon signe ou non. J'ai très peur et je sens mes jambes toutes molles. Je ne parle pas et j'attends. Quand il me présente la lettre que j'ai envoyée à Germaine avec plein de phrases et de mots soulignés en rouge, je pense : « *Je suis perdue* », et je ne sais que dire. Alors, c'est lui qui me parle en français. Un français meilleur que l'autre homme que je voyais avant.

« *Camarade Renée Suzanovna, que signifie cette lettre ?* »

Moi, je ne sais quoi lui dire et je commence à lui raconter un peu mon histoire :

« *Je vous prie de m'aider. Quand je suis venue en Union soviétique, j'étais avec Germaine et elle est pour moi comme ma sœur. Elle, elle est retournée dans sa patrie. Je le sais car elle m'a écrit cela. Moi aussi je voulais retourner dans ma patrie, mais la frontière était fermée, alors maintenant je travaille au kolkhoze et je veux écrire à ma sœur. S'il vous plaît, ne vous fâchez pas, s'il vous plaît.*

— *Mais savez-vous, camarade Renée Suzanovna, que ce que vous avez écrit, c'est très grave ?*

Vous mentez et vous avez raconté n'importe quoi. Comment osez-vous critiquer notre système et notre vie alors que vous avez la chance de vivre en Union soviétique ?

— Excusez-moi, excusez-moi, je ne recommencerai plus, je vous le promets, mais permettez-moi d'écrire à ma sœurette, s'il vous plaît.

— Vous pouvez écrire à votre amie, mais vous ne devez pas mentir. Si vous mentez à nouveau, vous serez condamnée et punie pour tous vos mensonges de capitaliste !

— Je ne recommencerai pas, je vous le promets, je vous le promets.

— J'ai autre chose pour vous, camarade Renée Suzanovna. Nous avons vos papiers de citoyenne soviétique et vous devez me signer quelques documents afin que je puisse vous les remettre. »

Qu'est-ce que je peux faire avec toutes les horreurs que l'on raconte sur ces gens-là ? Il ne va pas m'arrêter pour avoir fait la grande faute de raconter à Germaine ma pauvre vie ici ? Je ne sais même pas lire ses papiers mais je signe tout ce qu'il me dit de signer. Je tremble. L'homme me donne des papiers et je ne sais ce que c'est, car je ne lis rien en russe.

« *Maintenant que vous avez la citoyenneté soviétique, camarade Renée Suzanovna, vous n'aurez plus de problème et ça va aller mieux pour vous. Mais n'oubliez pas tout ce que le Parti fait pour vous et la chance que vous avez d'avoir pu obtenir les papiers soviétiques* », qu'il me dit avant de me faire signe que je peux partir.

Je repars avec ma lettre remplie de passages soulignés en rouge et mes papiers soviétiques[1] ! Quand Yvan me voit, il bondit : « *Ça va ?* » Je le regarde et je pleure. Nous sortons et nous dirigeons vers la gare. Yvan me prend tous les papiers que j'ai mis dans un petit sac de tissu que j'avais dans ma poche avec moi et nous rentrons. Nous arrivons à Morozovo. Tous les regards se tournent vers moi mais personne ne me pose de questions. Je rentre avec Yvan et voilà qu'il regarde les papiers. Oh ! grand malheur ! Avec tout mon chagrin à mourir que j'avais, j'ai oublié la lettre à Germaine ! Mon Dieu, quel grand malheur ! Voilà que Yvan se met à hurler, à tout balancer et il se jette sur moi et il me tape, il me tape et il me tape. Des coups de pied, de poing, et avec des objets aussi. Moi, je pleure mais très vite je ne sens plus rien.

Aussi, quand j'ouvre les yeux, c'est ma belle-sœur que je vois. Elle me passe de l'eau sur tout mon corps. Je n'ai même pas vraiment mal. Elle me dit que je ne dois pas aller au kolkhoze travailler, que Marta veut me voir mais qu'elle ne peut pas entrer dans la maison car « *ce n'est pas une bonne personne* » et aussi que Luba est chez elle avec maman. Je la remercie et, pour la première fois depuis que je suis arrivée en URSS,

1. En cette année 1949, « Renée la Française » n'existe plus aux yeux de la France puisqu'elle est devenue de fait citoyenne soviétique. Pour elle, le rideau de fer est définitivement fermé. La France n'est plus qu'un lointain souvenir (*NdE*).

nous parlons toutes les deux. Enfin, ce que je peux dire et ce que je peux comprendre, car c'est très difficile d'apprendre le russe et je ne parle pas encore vraiment, mais je comprends un peu maintenant.

Le lendemain, peut-être parce que je ne suis pas au kolkhoze, la milice de Solntsevo vient à notre maison pour me poser des questions. Bien sûr que je ne comprends pas tout, mais je sais qu'ils me demandent si mon mari me bat. Je dis que non. Je n'ose pas me plaindre. J'ai peur et je leur dis : « *Non, non, il est gentil avec moi.* » Le milicien dit qu'il sait que ce n'est pas la vérité, mais il repart sur sa moto après avoir parlé avec Yvan. Je pense que c'est Marta qui a prévenu la milice. Mais en Russie, c'est souvent que lorsque l'homme boit beaucoup, il frappe sa femme. Quand le milicien part, nous sommes tous les deux, le Yvan et moi, dans la maison et j'ai très peur. J'ai raison, car aussitôt il se met à crier et il me frappe, pas au visage pour ne pas laisser de traces mais sur les bras, les jambes... Cauchemar.

Le matin, Yvan est parti travailler au kolkhoze. Sa sœur aussi certainement, car je suis seule ici, allongée sur ce tas de ferraille recouvert d'une sorte de matelas qui sert de lit. Je suis très déprimée et je ne veux plus vivre. « *À quoi bon ?* » que je me dis, je ne sais plus comment faire pour rentrer dans ma patrie. Je vois alors le produit pour attraper les mouches, l'insecticide en quelque sorte. Je mets le produit à chauffer sur le feu et je bois. Pas beaucoup, car c'est trop mauvais, mais je me force à le boire car je ne veux plus vivre. Non, plus jamais. Je pleure, je pleure, ma vue se trouble, je vois tout flou, je crois que je vomis et je me sens m'écrouler sur le sol...

Quand je me réveille, je ne sais pas où je suis. Je vois des gens en blouse blanche[1] se pencher sur moi et toucher mes yeux. Je suis complètement découragée, je crois que je vis encore. Pourquoi, mon Dieu, pourquoi ? Le médecin dit que je vais vivre, mais je ne veux pas. Je suis très triste et je pleure encore. Pourquoi le bon Dieu, y veut pas de moi ? Pourquoi ? C'est trop injuste. Je n'ai pas encore vingt-cinq ans et je ne veux plus vivre.

1. J'ai été transportée au dispensaire médical de Solntsevo où un médecin est venu à cheval me visiter. Maman m'a fait avaler du lait caillé et j'ai beaucoup vomi. C'est à cause de cela que j'ai survécu mais après je suis malade pour un oui ou pour un non. Et ce les deux années qui suivent.

Renée bébé. Née à Cousance,
le 31 juillet 1927.

Louis Moureau, demi-frère de Renée.
Jura, 1940.

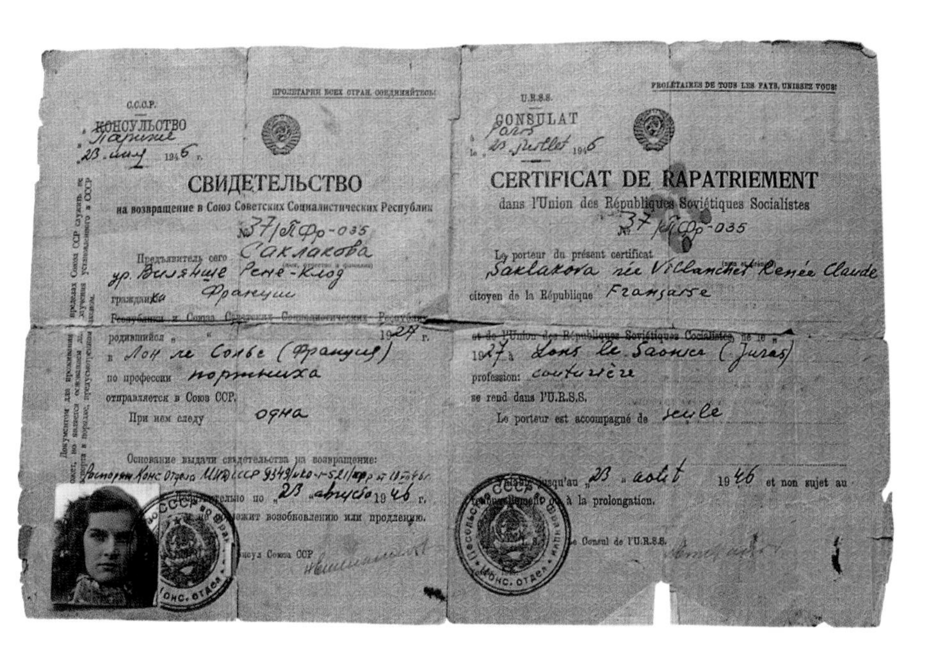

ПРОЛЕТАРИИ ВСЕХ СТРАН, СОЕДИНЯЙТЕСЬ!

С.С.С.Р.
~~КОНСУЛЬСТВО~~ Париже
23 июля 1946 г.

СВИДЕТЕЛЬСТВО
на возвращение в Союз Советских Социалистических Республик
№ 37/ПФр-035

Предъявитель сего Саклакова
ур. Вилянше Рене-Клод
гражданка Франции
~~Республики и Союза Советских Социалистических Республик~~
родившийся „ “ 1927 г.
в Лон ле Сонье (Франция)
по профессии портниха
отправляется в Союз ССР.
При нем следу одна

Основание выдачи свидетельства на возвращение:
Распоряж. Конс. Отдела МИД СССР 9349/ико-1-521/ПФр от 11.7.46 г.
Действительно по „23“ августа 1946 г.
и не подлежит возобновлению или продлению.

Консул Союза ССР

PROLÉTAIRES DE TOUS LES PAYS, UNISSEZ VOUS!

U.R.S.S.
CONSULAT
à Paris
le 23 juillet 1946

CERTIFICAT DE RAPATRIEMENT
dans l'Union des Républiques Soviétiques Socialistes
№ 37/ПФр-035

Le porteur du présent certificat
Saklakova née Villanchet Renée Claude
citoyen de la République Française
~~et de l'Union des Républiques Soviétiques Socialistes~~, né le „ “
1927 à Lons le Saonier (Juras)
profession: couturière
se rend dans l'U.R.S.S.
Le porteur est accompagné de seule

Valable jusqu'au „23“ août 1946 et non sujet au renouvellement ou à la prolongation.

Le Consul de l'U.R.S.S.

1946. Renée décide de suivre son mari en URSS. Ci-joint, son certificat de rapatriement.

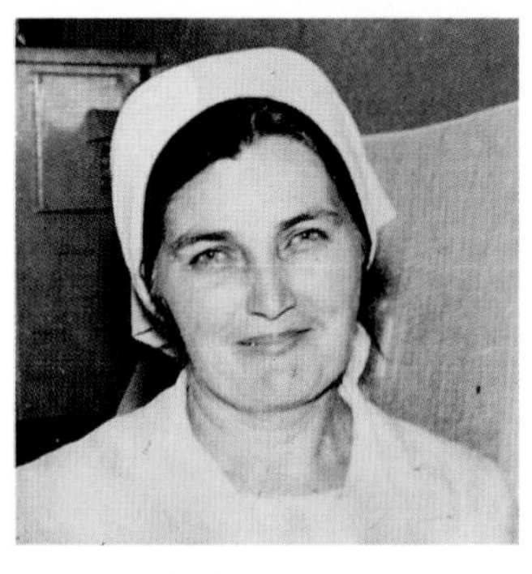

Renée au kolkhoze de Morozovo.

La maman de Renée avec ses trois petites-filles, Zoïa, Véra et Luba, quelques semaines avant sa mort. Solntsevo, 1959.

Renée et son second mari, Volodia, avec leur fil
Edouard. Solntsevo, 1965.

Renée et ses deux fils.
Solntsevo, au milieu des années 1980.

.enée devant son isba de Solnetsvo,
et à l'intérieur
ci-contre, en 2003.

Les membres du bureau
du comité de soutien
à Renée Villancher.
Jura, 2003.

Septembre 2003,
57 ans après avoir quitté le Jura,
Renée revient à Cousance.

Renée à l'école
d'Orbagna (Jura),
en 1935.

68 ans plus tard, Renée et ses camarades de classe d'Orbagna
posent à nouveau pour la photo.

Chapitre 5

Soviétisation obligatoire
(1953-1985)

Nous sommes le 5 mars 1953. Cela fait bientôt sept ans que je suis en Union soviétique. Prisonnière. Je me suis résolue à apprendre le russe et depuis plus de trois ans je travaille au kolkhoze. Hier, Staline est mort. Je ne sais quoi penser. Beaucoup de kolkhoziens pleurent. D'autres y voient la fin d'une époque. Et moi, peut-être je vais pouvoir repartir dans ma patrie ? Le chef du kolkhoze a peur que la guerre revienne. « *Staline a gagné la guerre contre les fascistes, mais maintenant qu'il n'est plus là, peut-être que les fascistes vont revenir* », qu'il répète avant de nous inviter à rentrer chez nous et à préparer le jour de deuil à venir. Moi, je ne comprends pas tout et je pense que ces histoires de Staline ne me regardent pas. Je suis française, pas soviétique, même si je ne sais pas qui est le Président de la France. Ici, jamais on n'en parle et jamais je ne peux lire les nouvelles de France. J'en suis triste et c'est la mort de Staline qui me fait penser à la France. Je pleure. Le chef du kolkhoze vient me serrer le bras alors que je m'apprête à rentrer chez moi. Cet idiot, il pense peut-être que je pleure pour son Staline ! Sans doute. Et moi, je m'en moque complètement de leur politique. La seule chose que je voudrais, c'est rentrer dans ma patrie.

Mon Yvan, lui, il n'a pas perdu le nord. Il a dit : « *Faut boire à la santé du camarade Staline !* » Et tous sont d'accord, bien entendu. Ils vont boire jusqu'au soir, ça c'est certain. J'arrive à la maison. Maman est là à attendre, sans rien faire. Je lui raconte que le camarade Staline est mort. Elle ne répond rien, elle s'en moque. Elle s'occupe de ma deuxième fille, Zoïa. En effet, l'année dernière, alors qu'au début je ne m'étais même pas rendu compte que j'étais enceinte, j'ai accouché d'une petite Zoïa, et me voilà maintenant avec deux petites filles à nourrir. Alors, je m'en vais préparer le souper et je pense à la France. Les larmes vont encore me venir, ça c'est sûr. Je vais essayer de couper une page au cahier de Luba et je vais écrire à ma Germaine. Je sais que je peux pas tout lui raconter, mais tout de même cela va me faire du bien et peut-être elle va me répondre et je vais recevoir des nouvelles de France. Je lui dis que notre Staline est mort et j'en profite pour lui demander comment il est notre Président et comment il s'appelle et si c'est toujours le Général et aussi d'essayer de retrouver mon frère et ma sœur dont nous n'avons pas eu de nouvelles et à qui nous ne savons pas où écrire. Je sais que le KGB m'a dit de ne pas chercher à leur écrire, mais je voudrais quand même. Je demande à Germaine d'essayer de les contacter et je lui glisse une lettre pour mon frère Louis pour qu'elle lui envoie si elle trouve son adresse. Pendant que j'écris, je m'inquiète, car les hommes sont partis en virée comme on dit parfois et je me demande dans quel état ils vont revenir.

Une femme vient nous voir tard pour nous dire que le Yvan, « *il s'est écroulé sur le chemin, près de l'entrée du hameau à un ou deux kilomètres. Il dit qu'il veut aller chez une Natacha. Vous devez aller le chercher car sinon il va y crever sur le chemin* ». Et moi, je lui réponds : « *Vous imaginez pas que je vais lui courir après, il me fait tellement souffrir, ce maudit !* » Et la femme me hurle dessus, me traite de tous les noms et tout et tout. Pourtant, je la connais, chaque matin nous prenons le transport ensemble pour aller au kolkhoze. Mais elle hurle tellement que je dis : « *J'y vais, hurlez pas, j'y vais.* » Et me voilà dehors, sans lumière, à chercher le Yvan sur le chemin. Quand je le vois, ou plutôt quand je bute dedans, je dis : « *Rentrons à la maison, davaï, davaï (allez, allez), mon Yvan.* » Lui, il veut pas, un vrai ivrogne qui me dit qu'il veut aller chez Natacha et il dit aussi beaucoup de mots grossiers. Enfin, finalement, je l'aide à se lever, mais dès qu'il marche quelques mètres il retombe. Il dit que je le laisse tranquille. Moi, je ne demande que cela mais j'ai pitié. « *Faut pas,* que je me dis, *faut pas* », mais je le tire par les bras et j'essaie de le faire avancer. Lui s'écroule. Des fois il avance, mais il s'est mis dans la tête d'aller chez sa Natacha et il veut que je le laisse.

Moi, j'ai bien envie de le laisser là, mais s'il meurt, la femme va dire que c'est ma faute et je vais avoir des ennuis avec tout le monde, la famille, les voisins, l'autorité, et ça je veux pas. Alors, je le traîne comme je peux. Parfois, je tombe aussi. Et voilà que j'arrête pas de pleurer. Quelle vie, mon Dieu, quelle vie que la mienne ! Jamais je me pardonnerai d'être venue ici. Jamais. Et pourtant, comment est la vie en France ? Quand je suis partie, la vie était aussi très difficile. Il fallait des tickets pour manger et il y avait peu de pommes de terre qui n'étaient pas très bonnes. Peut-être c'est mieux ici ? Mais moi je veux rentrer dans ma patrie même si c'est difficile là-bas la vie et qu'un camarade du kolkhoze me dit qu'il a vu des actualités à Koursk et ils disaient qu'il y avait la famine dans les pays occidentaux et aussi que le Parti avait décidé d'aider des pays « *amis* » en leur donnant du blé, des pommes de terre et je ne sais pas quoi encore. Peut-être bien que c'est la famine, mais c'est chez moi et je veux rentrer. Je le veux…

Yvan, il n'a pas bu depuis deux ou trois jours. Après ce qu'il s'est enfilé l'autre jour, il peut bien. Mais le voilà qu'il essaie de faire le gentil. Moi, je ne suis pas d'humeur à supporter car je dois tout faire. Travailler au kolkhoze, m'occuper du souper, des enfants, de maman et toute la maison encore. Ah non, ça va plus. Lui, il dit que « *ça va aller* ». Un menteur pareil, que je lui dis, il peut avoir une médaille qu'il peut aller demander à l'autorité ! Pas celle du travail, il boit trop pour ça. Celle de la méchanceté et du mensonge. Ils peuvent lui donner, c'est le meilleur. Il est fâché et il part. Je regrette parce que j'ai peur qu'il boit encore. Qu'est-ce que je disais... il rentre le soir et il est saoul et il me tape. Moi, j'essaie de me défendre mais je pleure. Je pleure. Toute la nuit et aussi le lendemain au kolkhoze. Moi, j'en peux plus et je veux plus vivre. Je leur dis, mais ils écoutent même pas et ils sont tous méchants avec moi. Je rentre à la maison, je prends le grand couteau qui sert à tuer et vider les bêtes et je me saigne...

Mais ça n'a pas marché et je suis encore en vie. « *Mon Dieu, aidez-moi. Laissez-moi mourir s'il vous plaît* », que je prie en m'évanouissant. Mais maintenant je me réveille et je sais que cela n'a pas marché. Le médecin est arrivé à cheval et il m'a engueulée, mais moi je n'écoute pas. Maman m'engueule aussi. Elle va m'empêcher, qu'elle dit, et elle me demande si je n'ai pas honte et moi je pleure. Comme toujours.

Cela fait déjà quelques jours que j'ai voulu encore me suicider et je retourne travailler au kolkhoze. Il faut car ici la vie c'est : tu travailles, tu manges. Rien d'autre sauf le Yvan qui me bat de plus en plus. Presque chaque soir maintenant et quand je veux pas faire le câlin avec lui, il me tape encore plus et il me force. Cauchemar...

Aujourd'hui, nous sommes le 23 février 1955. Dehors, il fait très très froid et je ne peux dire combien en dessous de zéro, mais c'est une des pires journées d'hiver que j'ai vécues à Morozovo. Trente ou quarante degrés sous le zéro, c'est certain. Je suis inquiète car mon Yvan est parti boire et moi je suis là à attendre qu'il rentre car je perds les eaux et je crois qu'il faut aller chercher de l'aide : je vais accoucher. Le Yvan rentre dans l'état que je craignais : ivre mort. Je lui dis : « *Aide-moi, s'il te plaît, je vais accoucher.* » Car il n'est pas question de faire des kilomètres pour aller chercher le médecin. Mais voilà que le Yvan, il se met à me hurler dessus et à me dire les pires grossièretés. Je lui dis : « *Si tu me frappes, je pars* » et lui répond : « *Si tu essaies de partir, je te coupe en morceaux. Tu m'entends, je te coupe en morceaux et je te donne à manger aux cochons !* » Moi, je pleure maintenant et j'ai peur que l'accouchement se passe mal. Ma belle-sœur veut m'aider mais Yvan est comme fou. Je profite d'un moment d'inattention pour partir et me voilà dans la nuit glacée à taper à la porte de Marta, la voisine ukrainienne chez qui j'ai logé déjà. Elle barricade la porte et elle me couche sur le vieux four et elle m'aide à accoucher. « *Mon Dieu, aidez-moi*, que je répète. *Aidez-moi.* » Et une troisième fille voit le jour en cette triste nuit d'hiver russe. Je l'appelle Véra, Véronique. Mais je ne suis même pas heureuse car je suis là, allongée sur ce poêle et je me dis que je suis dans une situation, maintenant… Mon Dieu, cela ressemble à une vraie descente aux enfers. Je vis ici, dans ce hameau, au milieu de véritables animaux. Ils ne sont en rien des êtres humains, ce sont des bêtes. Et je pleure, je pleure. Marta me console et me dit que le bébé est très joli mais moi je pleure. Et ma Luba qui a huit ans et qui est rejetée à l'école et par les autres enfants, « *retourne d'où tu viens* », qu'ils lui disent. Ma pauvre Luba ne comprend pas et me demande : « *Maman, pourquoi nous ne sommes pas soviétiques ?* » Et que voulez-vous que je lui dise à ma Luba, sauf que les autres sont tous méchants avec nous et que bien sûr nous sommes soviétiques ? À chaque fois que je lui dis, ma gorge se noue, mon cœur me fait mal et les larmes arrivent. Mais que faire, que faire ?

Ce matin, alors que je me réveille, Marta et maman me disent que je dois donner à manger au bébé. Moi je demande : « *Il est où, le Yvan ?* » Marta répond : « *Ben, il est parti et personne sait où il est.* » J'ai peur car je sais qu'il est parti boire et qu'il va rentrer saoul et encore me frapper. Je le dis aux femmes et elles essaient de me rassurer. Elles ont raison, car les semaines qui suivent je ne le vois pas et je n'en entends pas parler.

En juillet 1957, quelques jours avant mon trentième anniversaire, une grande et heureuse surprise m'attend. L'autorité m'apporte deux drôles d'enveloppes. Ce sont deux lettres pour moi. Avant même de les lire, je pleure de toutes mes larmes. La première est de mon amie Germaine, du Pas-de-Calais. Elle a été postée il y a très longtemps et elle est ouverte bien sûr. Je suis heureuse de lire de ses nouvelles. Elle me raconte sa vie, ses enfants. Mais rien sur la France ou sur ce qui se passe. La deuxième, qui va provoquer une crise de nerfs à maman et la faire pleurer toutes les larmes de son corps pendant des heures, est de mon frère, Louis. Je suis très émue bien sûr. Il m'a écrit le dimanche 21 avril 1957 :

« *Bien chère parente,*

Je viens faire réponse à ta lettre que j'ai reçue il y a 3 jours et aujourd'hui dimanche je m'empresse car je suis comme toi Renée quand je lis ta lettre je ne fais que pleurer car quand je pense que vous êtes si loin de moi je ne peux comprendre cette bêtise. Enfin j'espère bien que un jour tu seras de retour auprès de nous. Car où je suis il y a beaucoup de travail et au moins tu serais près de moi il y a été un moment je ne pensais jamais avoir de lettre.

Tu me dis que tu voudrais avoir des ailes que tu serais vite ici mais moi j'irai vous voir aussi car je trouve le temps bien long. Comme aujourd'hui dimanche de Pâques je suis seul dans la maison mes patrons sont tous partis à la messe je te dis ma petite sœur tu sais bien que je n'y vais pas. […] *Ma petite sœur que tu es bien triste que tu as dû souffrir et je vois que maman a été malade sûrement à son âge ce qui lui fait 69 ans* […] *je ne comprends pas bien ce que tu demandes de te faire un colis mais comme je comprends c'est des pâtes que tu veux dis-moi sur la prochaine lettre* […] *Je voudrais que tu sois là enfin maintenant que l'on s'est retrouvés c'est déjà beaucoup. Prends courage car tu me fais de la peine petite sœur chérie. Embrasse bien Maman tu sais car c'est elle qui nous a mis au monde. Sois gentille avec elle et sans oublier ma petite nièce et toi ma petite sœur tâche d'être heureuse avec ton mari dans l'attente d'avoir une réponse reçois de ton frère Louis qui pense beaucoup à toi et qui ne restera pas si longtemps sans t'écrire crois-moi.*

Mille bons baisers de ton frère Louis qui commence à se faire vieux 41 ans.

Bientôt et toujours seul.

Bonne nuit et à bientôt une réponse et toi si tu as des photo pense à moi. Bonne nuit.

Louis Moureau »

Je ne sais pas depuis combien de temps nous sommes chez Marta, mais aujourd'hui je vais rentrer dans la maison de la famille car mon mari est parti depuis longtemps et il ne semble pas revenir. Tant mieux. Bon débarras. Sa famille semble plus embarrassée mais à quoi bon. Depuis qu'il n'est plus à Morozovo, la vie est meilleure car personne ne me frappe et ne me hurle dessus. Cependant, pour manger c'est plus difficile et les quelques volailles que nous avions sont vite mangées. Les légumes aussi et il faut trouver à manger pour nous toutes. Avec trois filles, maman, ma belle-sœur, ce que je rapporte du kolkhoze n'est presque rien et nous sommes de plus en plus pauvres. Sans argent et maintenant qu'avec des guenilles que j'essaie de recoudre d'une fille à une autre. Quand il fait beau, ça va encore, mais quand c'est l'hiver, c'est plus possible et avec le bois à rentrer, je suis épuisée. Marta m'aide mais les autres non. Ils sont méchants avec moi. Sauf l'institutrice qui vient parfois discuter avec moi. Elle voudrait m'aider comme elle a déjà fait quand j'ai fait la grande faute d'aller à Moscou, à l'ambassade. Elle est très gentille avec moi et aussi avec mes filles.

Aujourd'hui, l'institutrice me dit qu'il faut aller demander de l'aide à l'autorité russe, au district, à Solntsevo. Moi, je ne peux pas faire cela car je n'ai pas beaucoup d'éducation et je ne parle pas beaucoup le russe. Comment je peux demander « *aidez-moi* », comment ? Aussi, elle décide de demander pour moi et elle promet qu'elle va venir pour m'aider à faire les papiers. Elle dit aussi que depuis que Staline est mort, c'est beaucoup plus facile de changer de travail, de village et de logement. Il faut aller demander, qu'elle dit. Donc, bientôt, nous allons aller ensemble à Solntsevo.

Quand nous arrivons à l'autorité du Parti, j'ai très peur et mon cœur bat très fort. Peut-être qu'il ne faut pas demander. Et puis, c'est compliqué car il faut aussi aller au comité de la ville. Mais là-bas, ils disent de revenir à l'autorité… L'institutrice est au supplice et nous retournons au comité. Ils sont en réunion, « *rentrez chez vous* », qu'ils disent. Mais l'institutrice veut être reçue. Elle montre des papiers, elle se fâche, elle n'est pas contente. Moi, je regarde et j'ai l'impression d'être chez les fous. Ensuite, il faut aller dans un bureau. Ensuite, attendre, ensuite, recommencer et ainsi de suite. Enfin, ils nous disent de revenir demain. Moi, j'en dors pas de la nuit. Qu'est-ce qu'ils vont dire ?

Le lendemain, ils nous disent que nous allons recevoir une convocation mais que l'on peut aussi essayer de revenir. Je n'y comprends plus rien, et je sais une chose c'est qu'il faut trouver à manger pour tout le monde. Je dis merci à l'institutrice et que je ne vais pas y retourner car c'est quinze kilomètres aller et quinze retour et souvent à pied, car les transports qui passent sont rares et ils ne s'arrêtent pas toujours. L'institutrice me dit qu'elle doit y aller pour l'école dans quelques jours et qu'elle va repasser à l'autorité et au comité de la ville.

Je n'y pense même plus lorsque, quelques semaines plus tard, l'institutrice rentre à la maison avec Luba et Zoïa en souriant et elle dit : « *Le comité du village a décidé que vous allez avoir un logement à Solntsevo pour vous et votre famille si vous trouvez un travail.* » Moi, je suis tout heureuse et je ne sais comment la remercier. Nous allons enfin pouvoir quitter cet endroit maudit.

Je vais à Solntsevo pour trouver un travail. J'en trouve un au combinat de saucisson et charcuterie. C'est très mal payé, mais cela va nous autoriser à déménager. Aussi, j'apporte les papiers et l'autorité russe me propose de prendre en charge mes deux filles aînées pour qu'elles aillent à l'internat afin de bien apprendre et bien manger. Je ne suis pas très contente de cela car je ne vais les voir que le samedi et le dimanche, mais je ne peux pas décider autrement et je pense que peut-être c'est mieux pour elles. Je parle aussi de mes papiers avec l'autorité russe et ils me donnent l'autorisation de vivre à Solntsevo. Bientôt, le comité du village va me donner les papiers.

Nous sommes l'année 1959 et je viens de m'installer à Solntsevo. Maman est de plus en plus malade et je m'inquiète pour cela. Aussi je suis contente de quitter le hameau de malheur. L'autorité m'a donné une isba[1], dans le centre de Solntsevo. Elle est très jolie et je suis très heureuse, même si je n'ai pas l'argent pour mettre des choses dedans. Mais pour l'argent, je vends la vache que je ramène de Morozovo. La vache, je la considère comme héritage de la famille ! Tant pis pour ma belle-sœur. Aussi, si je veux la garder, elle va me donner trop de souci à Solntsevo. J'ai du chagrin car je voudrais la garder mais je dois m'en débarrasser. Je vends mal car je ne sais pas bien vendre et aussi parce que le moujik qui veut l'acheter me pose des questions et il comprend que c'est ma vache mais ce n'est pas complètement ma vache. Alors…

Maintenant que je me suis débarrassée de la vache, je vais m'embaucher au combinat et j'apprends mon nouveau travail. Ce n'est pas très difficile, surtout que les camarades ne travaillent pas beaucoup. C'est peu payé aussi et je vais chercher un autre travail car je gagne très peu. Mais pour le moment, je n'ose pas car je n'ai pas encore l'enregistrement avec tous mes papiers.

---

1. Renée Villancher y habite toujours (*voir cahier photos*). (*NdE.*)

Aussi, je ne peux pas rester seule et je vais décider de me remarier avec un ancien camarade du kolkhoze, Vladimir. Mon Yvan, on me dit qu'il est mort. Moi, je ne sais pas mais les gens disent cela maintenant. Vladimir, Volodia en russe, est grand et fort. Il est très gentil avec moi. Je suis certaine qu'il ne va pas me frapper. Il est forgeron mais il va travailler comme chauffeur au combinat puisqu'il habite avec moi à Solntsevo. Il a le droit de travailler à Solntsevo. C'est très compliqué en Union soviétique pour comprendre quel travail on peut faire à quel endroit et dans quel endroit on peut habiter. L'institutrice m'explique qu'en ville c'est encore plus compliqué et que parfois les gens font un faux mariage pour avoir le droit d'aller à Moscou et que lorsqu'ils ont le travail à Moscou, ils divorcent car ils ont le droit de vivre à Moscou puisqu'ils y travaillent ! À Solntsevo, c'est un peu la même chose mais il y a moins de monde et on peut s'arranger aussi. Comme dit l'institutrice, si je n'avais pas reçu le logement ou le travail, je pouvais l'obtenir contre la vache !

Le 12 mars 1960, m'arrive un grand malheur. Maman est morte. Depuis quelque temps, elle était bien malade et était restée dans le silence, rongée de remords et de désespoir. Elle rejetait la vie d'ici et elle a toujours refusé de parler ou d'essayer de comprendre le russe ; c'était sa manière à elle de refuser de vivre ici. Elle ne l'avait pas choisi, elle pensait rentrer à Lons-le-Saunier une fois que je serais installée avec mon mari dans ce pays qui devait nous apporter le bonheur et où tout était radieux comme ils disaient les Soviétiques au camp de Beauregard ! « *La terre russe ne va pas me prendre. Elle ne peut pas nous prendre. Je ne veux pas mourir ici et être enterrée dans cette terre* », répétait sans cesse maman ces dernières années. Et maman qui est inhumée dans une terre qui n'est pas la sienne[1]. Quel grand malheur ! Je suis vraiment seule. Toute seule. Je sais que maintenant je dois apprendre à vivre ici et que jamais je ne vais revoir ma patrie. Je suis encore plus triste qu'avant. Je pense aux derniers mots de maman : « *Tu dois rester ici et bien éduquer tes enfants. C'est ce que tu as de plus important, tes enfants...* » Bien sûr que je vais écouter maman et que je vais toujours rester avec eux. J'ai jamais eu de moment de bonheur. Toute ma vie est un malheur et ce ne sont que mes enfants (et mes petits-enfants, plus tard) qui m'apportent un peu de joie. Et qu'est-ce que je peux faire d'autre ? La frontière est fermée, je n'ai plus de papiers français, le KGB m'a donné des papiers soviétiques et je suis très pauvre. Comment je peux retourner dans ma patrie avec mes trois filles ? Bien sûr que je ne peux pas. Je pense que je ne vais jamais la revoir et je pleure...

Survivre. Je dois encore me battre pour survivre. C'est ma seule préoccupation. Une obses-

1. Quand je me recueille sur sa tombe, je lui parle en français. C'est la seule langue qu'elle comprenait, maman.

sion de tous les jours même. Je dois trouver un travail qui me rapporte de l'argent. Je cherche mais je ne sais pas à qui demander. J'en parle à mes voisins qui sont très gentils avec moi et m'ont même donné un peu de charbon cet hiver. Un jour, ma voisine me dit que peut-être à la fabrique des briques ils vont embaucher. Moi, je laisse tomber mon seau que je venais d'aller tirer au puits et je cours à la fabrique. Aussi, chemin faisant, je demande où elle est exactement, de quel côté ? C'est à Zovievka, à deux ou trois kilomètres de chez moi. J'y arrive et je suis tout essoufflée. Je rencontre une dame dans un bureau qui me demande mon carnet de travail et mes papiers. J'ai pas pensé, moi, et je lui demande si je peux travailler à la fabrique. Elle me répond : « *Retourne chercher tes papiers et ton carnet de travail. Après nous verrons s'il y a une place pour toi.* » Moi, je supplie pour qu'elle me garde la place. Elle se fâche et me met dehors. Alors je cours, je cours jusqu'à la maison. Je cherche mais je ne trouve pas mon carnet de travail. Je cherche partout et je réalise qu'il est au bureau du travail du combinat. Je repars au combinat. Heureusement, il n'est pas très loin de la fabrique des briques. Quand j'y arrive, je crois que je vais mourir et je n'arrive pas à respirer. Mais la dame me dit : « *Reviens demain, je ferme le bureau.*

— *S'il vous plaît, ouvrez pour moi. Demain, je dois aller travailler au combinat et je ne peux pas venir le matin*, que je réponds.

— *Et si tu as un travail au combinat, alors pourquoi veux-tu travailler ici ?* qu'elle me dit.

— *Je veux travailler ici car c'est un bon travail. Au combinat je gagne très peu et j'ai trois filles à nourrir et à habiller. S'il vous plaît...,* que je supplie alors que je sens que les larmes vont venir.

— *J'ai dit demain, c'est demain. Bonsoir, camarade* », et elle part. Moi, je reste là, découragée. C'est sûr, je ne vais pas avoir ce travail qui est, d'après ce que l'on dit, un très bon travail et bien payé. La fabrique de briques est sans doute le meilleur travail que l'on peut trouver à Solntsevo. C'est pénible, je le sais, mais les femmes qui y travaillent gagnent beaucoup plus qu'au combinat ou qu'à l'administration. Je suis découragée et je rentre doucement vers ma maison. Tant pis, demain je ne vais pas aller au combinat et je reviens dès le matin à la fabrique. J'ai décidé et je vais faire comme cela. De plus, ma Luba a terminé l'internat et elle a reçu le diplôme des études secondaires. Elle va aller dans un lycée professionnel maintenant pour apprendre la planification et le commerce. C'est très bien pour elle et je suis très contente, mais je ne gagne pas assez d'argent pour payer les transports et tous les frais que je vais avoir car l'autorité russe ne va pas tout payer. Heureusement que Zoïa est toujours à l'internat car sinon, je ne pourrais pas toutes les nourrir. Je n'ai pas le choix et demain matin je dois avoir ce travail. Je serre les poings et j'ai la force nécessaire pour obtenir ce travail. Je le sais.

Il est presque neuf heures du matin et j'attends depuis bientôt plus d'une heure que le bureau de l'administration de la fabrique ouvre. Je vois la femme arriver. Elle se moque de moi, mais elle me fait entrer tout de suite et me dit : « *Oui, il y a un poste mais tu sais que c'est un travail très fatigant et je ne crois pas que tu puisses le faire car tu n'es pas assez robuste.*

— *J'ai beaucoup de force et de courage. Je veux travailler ici. J'ai acheté des meubles pour ma maison et j'ai le crédit à rembourser de trente roubles chaque mois. S'il vous plaît, aidez-moi. Je dois avoir ce travail*, que je réponds.

— *Si tu veux essayer, c'est ton problème. Je vais te préparer les papiers et tu commenceras ce soir, mais viens pas te plaindre sinon tu seras renvoyée.* »

Je remercie et je m'en vais, contente d'avoir trouvé un bon travail qui va me rapporter beaucoup plus d'argent.

Dès le premier jour, je vois bien que ce travail n'est pas fait pour moi et que la femme du bureau avait raison. De plus, c'est la voisine qui garde Véra car je vais travailler tard tous les soirs. Mais je vais essayer, car il me faut gagner de l'argent maintenant que je suis à Solntsevo et que mes filles grandissent. D'autant plus que maman n'est plus là pour leur fabriquer des vêtements. « *Mon Dieu, aidez-moi* », que je me répète en poussant les wagons chargés de briques. Le travail, très fatigant, consiste à charger des wagonnets avec les briques encore humides et glissantes. Ensuite, il me faut pousser les wagonnets, très très lourds et après décharger les wagonnets. C'est l'enfer et je rentre épuisée chaque nuit. Mais il faut, que je me dis, il faut. Le salaire est très bien, et très vite j'arrive à économiser et mettre l'argent de côté. Bien sûr, ce n'est pas grand-chose mais tout de même cela me rassure.

Le plus pénible, c'est quand le wagonnet se renverse. Malheureusement, cela arrive assez souvent et il faut alors le relever et recharger les briques humides avant qu'elles aillent sous la presse. Un jour, alors que je faisais de gros efforts pour relever, à l'aide d'une barre de fer, un wagonnet qui venait de se renverser, j'ai eu très mal. D'autant plus que j'étais enceinte, mais que je ne l'avais pas dit aux chefs. J'ai été emmenée au dispensaire et j'ai perdu mon bébé. Aussi, en cette année 1964, lorsque je me retrouve à nouveau enceinte, je décide d'aller le dire à l'administration. Ils m'obligent à arrêter ce travail mais ils me promettent qu'ils vont parler de moi à la section du Parti afin que je retrouve un bon travail. Quelques semaines plus tard, je suis convoquée au bureau du travail où on me dit que je vais désormais travailler au jardin d'enfants. Je serai cuisinière. C'est un bon travail même si c'est moins payé qu'à la fabrique de briques, bien sûr. Après la naissance de mon premier fils, Valéry, je demande à suivre des cours pour essayer de gagner des échelons. Je travaille très dur même si ce n'est pas aussi pénible qu'à la fabrique.

Le 15 novembre 1966, j'accouche de mon cinquième enfant, un garçon que j'appelle Edouard, et cela me permet de recevoir un peu de repos et un bon de vacances pour aller dans un camp de repos avec mon mari et mes fils. Au retour, je m'occupe de mes enfants avant d'aller reprendre mon travail au jardin d'enfants du district de Solntsevo.

J'aime beaucoup le travail au jardin d'enfants[1]. Je suis cuisinière et j'aime beaucoup avoir des contacts avec les enfants. Je les aime bien et ils me le rendent bien. Chaque jour, il y a presque trois cents enfants de tout le district à nourrir. Ce travail me plaît et les camarades avec lesquels je travaille sont gentils avec moi. Ils m'aident et ils m'apprennent beaucoup de choses. Aussi, même s'ils m'appellent « *la Française* », personne ne me reproche et ils me respectent. Je suis très bien avec ce travail et je m'habitue bien à ma nouvelle vie soviétique de Solntsevo. Quand nous étions à Morozovo, nous étions deux clochardes, maman et moi. Depuis que je suis à Solntsevo, ma vie a changé et les gens sont plus gentils avec moi. Mes voisins, par exemple, sont des gens charmants qui m'aident beaucoup. Aussi, au travail et dans la vie, il y a de la solidarité. Je ne suis plus une paria mais une vraie citoyenne soviétique. Et lorsqu'on me propose pour obtenir la médaille du travail de l'Union soviétique, je suis émue car je suis contente que l'on me reconnaisse comme une bonne camarade. Je ne sais pas ce que c'est de ne pas travailler car maman

---

1. Après quatre années passées à la briqueterie, Renée y travaillera vingt-cinq ans, jusqu'à sa retraite (*NdE*).

m'a toujours appris à travailler. Toute ma vie, j'ai toujours beaucoup travaillé et je travaille chaque jour beaucoup. Aussi, le journal local va écrire un bon article sur moi et mon travail. Il s'intitule « *Les mains en or*[1] ». Les gens me saluent plus souvent et je n'ai plus de problèmes. Je n'entends plus de choses méchantes sur moi. Mes enfants non plus. Avant, mes filles souffraient beaucoup car les autres se moquaient d'elles en leur disant qu'elles étaient « *les filles de la Française* ». Aussi, je n'ai jamais essayé de leur parler en français. Cela serait très mauvais car les autorités soviétiques ne seraient pas contentes. Mais maintenant, cela change un peu et je suis très heureuse car mon fils Edouard apprend le français à l'école. Tous mes enfants apprennent un métier ou alors, ils vont à l'école et ils apprennent tous bien. De cela, je suis très contente et très fière. Ils sont tous gentils et bien élevés. C'est un grand réconfort pour moi. C'est pour eux seulement que je reste en vie.

Maintenant la vie passe doucement et les lettres de mon frère Louis et de ma sœurette Germaine arrivent plus souvent. J'attends toujours ces lettres et je suis très heureuse quand je les reçois. Par-

1. L'article consacré à Renée Villancher et à son travail est un article de propagande à la gloire des travailleurs communistes qui contribuent à construire un avenir radieux. Il ne nous apprend rien sur la vie de Renée à l'époque et il ne présente pas suffisamment d'intérêt pour être reproduit dans ce récit (*NdE*).

fois, Germaine m'envoie des colis. Des vêtements et aussi de la laine. Avec la laine, je peux tricoter des vêtements chauds pour toute la famille. Je tricote, je couds. Parfois, presque toute la nuit je le fais. Mais mon frère me rend triste. Je crois qu'il n'a pas la vie très facile en France et il est seul. L'année 1971, je reçois une longue lettre de Perrigny, mais postée de Lons-le-Saunier :

« *Ma Petite Sœur Chérie,*

Enfin aujourd'hui je prends la plume car tu sais je pense beaucoup à toi malgré que tu es très loin de moi et que je voudrais te revoir car tu sais ma Renée, ma petite sœur, je n'ai que toi et tu peux croire que cela est dur d'être seul. Maintenant on parle de moi. Tu sais que depuis 1970 je suis resté à l'hôpital [...] *toujours pour la même jambe* [...] *Quand de la vie pour moi c'est fini. Quant à toi ma pauvre petite sœur chérie tu ne peux savoir combien je pense à toi* [...] *je suis seul depuis que toi et maman vous êtes parties mais il ne vaut mieux pas en parler. Quant à moi je me suis toujours demandé pourquoi vous êtes parties. Mais si loin, enfin c'est la vie* [...] *Baisers. Louis* »

De ma sœurette Germaine, je reçois beaucoup plus de lettres. Et plus les années passent et plus nous nous écrivons avec ma sœur Germaine. Moi, dès que je n'ai pas le bon moral, je prends une plume et un papier et je lui écris. Cela m'aide aussi à ne pas oublier complètement mon français car maintenant que maman est morte, je ne parle plus avec personne. Je lis les lettres et j'écris seulement. Heureusement que Germaine ne m'oublie pas et que je reçois souvent ses lettres.

Mais dans les années 70, d'autres lettres et colis m'arrivent à Solntsevo. Quelques friandises, du café et quelques billets (des roubles) aussi. Quelle surprise ! c'est un monsieur Juvenet[1] de l'ambassade française à Moscou. Je suis très étonnée et aussi très contente que ma patrie ne m'a pas complètement abandonnée ! Et qu'il m'envoie quelque argent va beaucoup m'aider bien sûr. Malheureusement, je ne peux pas lui répondre. Je veux lui répondre, mais je ne sais pas si je dois car l'officier du KGB m'avait bien dit de ne jamais reprendre contact avec l'ambassade de mon pays, sinon je serais envoyée dans les camps. J'hésite. Je sais que je vais écrire mais pour le moment je décide de ne pas répondre et d'attendre la convocation du KGB ou de l'autorité russe à ce sujet. S'ils ne viennent pas me voir, alors dans quelques mois,

1. La lettre que Renée nous a confiée, à en-tête de l'ambassade de France en URSS et en date du 27 décembre 1977, est signée J. Juvene. Ce monsieur lui annonce qu'il va lui envoyer « *sous peu un secours exceptionnel de cent roubles. Je vous adresse mes meilleurs vœux pour l'année nouvelle et je vous prie de croire, Madame, à l'assurance de mes sentiments distingués* ». Cette initiative (personnelle ?) prouve que le dossier de Renée avait été archivé à l'ambassade de France à Moscou en 1948 (*NdE*).

je vais écrire à monsieur Juvenet pour le remercier.

Cela fait beaucoup de Noëls que je passe en Russie. Je n'ose pas compter parfois, car cela est mauvais pour mon moral et cela me fait très mal au cœur. Maintenant j'ai tout oublié ma messe. Depuis plusieurs années, je demande à ma sœurette Germaine un livre de messe et un chapelet, mais elle ne me l'envoie pas[1]. Aussi, je décide que je vais encore lui demander. Elle a certainement oublié ou alors elle n'avait pas l'argent pour l'acheter tout de suite. Je ne sais pas vraiment comment c'est dans ma patrie. Des camarades du travail me disent que l'on ne trouve pas toujours à manger et qu'il y a beaucoup de gens sans travail, au chômage et que ce n'est pas comme ici en Union soviétique où tout le monde peut travailler et manger. J'espère que mon frère et ma sœurette, ils ont à manger. Aussi, je pense qu'il ne faut pas que je demande quelque chose. Je ne suis pas à plaindre. Mon mari, Volodia, travaille. Moi, je travaille, les enfants ont l'éducation gratuite et, après, le travail. Alors...

Le 29 mai 1979, je décide d'écrire à ma sœurette Germaine :

---

1. Renseignement pris auprès de Germaine, elle a envoyé le missel dans un colis mais apparemment celui-ci n'est jamais arrivé. La liberté en URSS avait ses limites... et les livres religieux étaient interdits (*NdE*).

« J'ai reçu de toi une petite lettre et je suis très heureuse […] tu m'écris que tu n'as pas reçu ma grande lettre que je t'ai envoyée mais je ne sais pas pourquoi tu ne l'as pas reçue […] Ici le jardin est sec car il n'y a pas de pluie et cela est très mal […] les enfants grandissent et mes enfants vont bien […] leur vie à mes filles n'est pas très bonne car leur mari regarde beaucoup aux bouteilles de vodka et tu dois comprendre ma sœurette que ce n'est pas bon […] aussi je travaille beaucoup et toute la journée de 6 heures le matin jusqu'à 8 heures le soir et j'ai très mal aux jambes. Toute la journée, je suis sur les jambes mais que peut-on y faire je dois supporter car il faut manger et nourrir les enfants ma chérie aujourd'hui je voulais beaucoup t'écrire car je voudrais être auprès de toi. Oh mon Dieu que c'est dur pour moi de tout faire pour venir auprès de vous. Ma chérie la vie est dure et l'on ne peut pas faire ce que l'on pense. Mais ayons l'espoir […] regarde-moi, maintenant je suis déjà un peu vieille et nous avons eu beaucoup de misère […] aussi je regarde ta photo auprès de mon lit et je pense à toi […] Voilà bientôt j'aurai 52 ans les années passent très vite et bien sûr on vieillit. Aussi j'ai reçu une lettre de mon frère et j'ai pleuré car il est très mécontent que je suis en Russie. Il est en colère avec moi […] excuse-moi de mon bavardage mais toi tu comprends toujours ma sœurette et je suis heureuse de tout t'écrire […] j'attends que tu m'écris car je suis tellement seule […] aussi je te demande encore de m'envoyer un livre de messe et un chapelet […] »

Mon deuxième mari, je l'ai déjà dit, est très fort. C'est un brave type, un bon travailleur et, même s'il est saoul tous les jours, il est très gentil avec tous les enfants. Jamais il ne me bat et quand il rentre, souvent je l'aide à se coucher tellement il a bu de la vodka. Et le samagone aussi. C'est pas possible de boire autant, que je pense alors. C'est pas possible. Aussi, je sors d'une visite chez le médecin et je suis inquiète car il veut m'envoyer à l'hôpital à Koursk à cause de mes articulations. « *Vous devez y aller car elles sont trop gonflées et vous risquez de connaître de grands problèmes avec vos jambes* », m'a dit le médecin avant de me faire un papier et de me dire que je dois partir la semaine prochaine. Je sais que les enfants sont grands mais je suis inquiète tout de même. Edouard n'a pas quatorze ans[1].

À l'hôpital, et ensuite au sanatorium de Lipetsk, dans l'oblast de Voronej, je reste presque quatre mois. Ils essaient différents traitements. J'ai des problèmes avec mes os et mes articulations. Ils me font beaucoup de piqûres et des massages aussi. Au début, j'aimais bien être là car tout le monde prenait soin de moi et je rencontrais des gens nouveaux. Je ne suis jamais sortie du district de Solntsevo depuis plus de vingt ans. Peut-être même

---

1. Mon mari s'en est très bien occupé, il boit moins depuis que je suis au sanatorium. C'est le mari de ma fille Luba, un Arménien, qui prend le relais et le voilà saoul tous les soirs maintenant.

plus. Alors vous imaginez, j'étais très curieuse. Ici, tout est beau, tout est propre et les gens, ils ont beaucoup de connaissances. Mais maintenant, je veux rentrer chez moi, dans ma maison et voir mes enfants. Mon Volodia est venu me rendre visite avec mes fils bien sûr, mais ils me manquent et ma vie est maintenant à Solntsevo. J'en parle au médecin et il accepte de me renvoyer le week-end d'abord. Je lui réponds que les transports sont trop chers pour mon salaire mais il me dit que je vais recevoir des bons pour les transports. Je ne comprends pas très bien mais j'accepte.

Ensuite, il faut que je revienne régulièrement pour consulter. Les séjours au sanatorium sont très agréables, mais je crois que les traitements ne font pas grand-chose et je marche maintenant comme une tortue ! Je vieillis et je suis très triste car je sais que jamais je ne retournerai dans ma patrie.

Pourtant, je reçois parfois des lettres de l'ambassade. Je n'ai plus peur et je leur écris. Qu'est-ce que le KGB peut faire ? Je suis déjà vieille. Seulement, je ne comprends pas certaines lettres et ce qu'ils me demandent de leur envoyer, pourtant, je dois écrire car ils m'envoient aussi de l'argent et cela m'aide beaucoup pour vivre et pour mes enfants. Voilà les lettres du 15 novembre 1982 et du 5 juillet 1983[1] :

---

1. Lettres de l'ambassade de France en URSS adressées à Renée Villancher et confiées par ses soins à l'éditeur (*NdE*).

RÉPUBLIQUE FRANÇAISE

AMBASSADE DE FRANCE
EN
U.R.S.S.

N° 2763/SC

MOSCOU, LE 15 novembre 1982

Madame,

J'ai le plaisir de vous faire savoir que je vous adresse ce jour, par voie postale, la somme de 600 Roubles, au titre de l'allocation de solidarité pour 1982.

Afin de me permettre de continuer à vous verser cette allocation, je vous serais reconnaissant de bien vouloir me faire parvenir dans les meilleurs délais un certificat de vie et de résidence dûment établi par les autorités officielles de votre domicile.

Veuillez agréer, Madame, l'expression de mes sentiments les meilleurs.

P.o Le Vice-Consul

André VALENTIN

Madame SOKLAKOVA Renée
Oblast de KOURSK
Station SOLNTSEVODI
Oul. OCTOBRIA N°20

RÉPUBLIQUE FRANÇAISE

AMBASSADE DE FRANCE
EN
U. R. S. S.

N° 1546 /PAR/SC

MOSCOU, LE 5 Juillet 1983

Madame,

En réponse à votre lettre du 16 juin, j'ai l'honneur de vous informer que le crédit me permettant de vous verser régulièrement une aide financière ne m'est pas encore parvenu pour l'année 1983.

Je vous précise que contrairement à ce que vou[s] semblez penser, cette aide ne peut absolument pas être assimilée à une pension ; elle est sujette à variations et peut même être suspendue temporairement.

Soyez assurée cependant que votre situation est parfaitement connue et fait l'objet d'une attention bienveillante de la part des Autorités chargées de la répartition des crédits d'aide sociale. Je ne manquerai pas, pour ma part, de vous faire parvenir votre allocation, dès que l'autorisation m'en aura été donnée.

Veuillez agréer, Madame, l'assurance de ma considération distinguée.

Le Régisseur

André VALENTIN

Madame SOKLAKOVA Renée
Oblast de KOURSK
Station SOLNTSEVODI
Oul. Octobria n° 20

En ce début des années 80, les vieux Présidents meurent tous les uns après les autres, et Brejnev est à peine enterré que c'est à Andropov d'aller dans le trou et de laisser sa place à Tchernenko qui le rejoint vite. Alors qu'au village c'est du pareil au même. Les hommes, ils meurent tous jeunes et je m'inquiète pour le mari de ma fille aînée, Luba[1], les autres hommes de la famille et mon mari à moi qui boit beaucoup et qui a la santé qui va moins bien…

---

1. Il décéda peu de temps après. Comme la plupart des hommes des villages russes, il ne dépassa pas les cinquante ans (l'espérance de vie est actuellement de cinquante-huit ans pour un homme, en Russie). (*NdE.*)

Chapitre 6

« *Je vieillis* »
(1986-2003)

Je vieillis et j'ai peur d'oublier mon français, car je ne le parle avec personne. Maintenant, je sais que je ne peux plus revoir ma patrie. C'est trop tard. Je regrette très fort aussi que mes enfants ne parlent pas. Mais avant, ce n'était pas possible.

Je vais avoir bientôt soixante ans et Gorbatchev, notre nouveau premier secrétaire du Parti, il cause de liberté ! « *Pas d'alcool* », qu'il dit ! Cela nous fait rire dans le village. Un clown, qu'il dit, mon fils. Un clown avec sa tache de vin sur le front ! Je regarde la télévision et il ne fait pas trop froid maintenant. Heureusement car je n'ai pas beaucoup de charbon et de bois pour la fin des jours froids. Mon mari, que j'appelle « *Pépé Volodia* », il boit moins mais il boit trop quand même et après nous n'avons plus assez d'argent pour acheter les choses. Heureusement, les enfants sont grands et les filles sont mariées et travaillent à Solntsevo. Les garçons ont un bon travail. Edouard est entré dans la police et il s'occupe pour le moment des jeunes délinquants.

C'est un travail intéressant. Valéry, il a moins de chance. Toujours, il voulait entrer dans la marine et être marin, mais au recrutement ils ont refusé et ils ont dit : « *Toi tu as des origines étrangères, capitalistes, et peut-être tu as de la famille en France car ta mère était française. Et si tu navigues à l'étranger, tu vas partir et raconter tous nos secrets. Non, tu ne peux pas devenir marin. Nous allons t'envoyer dans une unité de l'armée de terre.* » Le pauvre Valéry, il voulait être marin, et par ma faute il se retrouve militaire dans l'armée de terre. C'est mon seul enfant qui ne vit pas à Solntsevo. Il habite dans la ville de Mourom dans le grand nord-est de Moscou. C'est là qu'est son unité. Bientôt, il sera sous-officier et il va aussi se marier avec une femme que j'ai déjà vue mais que je n'aime pas. Je crois qu'elle n'est pas bien pour lui.

La grande surprise de cette année, c'est qu'avec la perestroïka, ma sœurette Germaine a décidé de participer à un voyage touristique et de venir à Moscou. J'ai le cœur qui bat très fort et j'ai le courage d'aller à l'autorité russe faire une demande pour inviter ma sœurette à me rendre visite. La réponse est rapide : « *Non, vous ne pouvez pas inviter votre amie chez vous, à Solntsevo. Par contre, nous vous autorisons à aller la rencontrer quelques instants à Moscou avec votre fils ou vos enfants si vous le souhaitez. Mais nous vous interdisons d'essayer de prendre contact avec d'autres étrangers.* » Les autorités soviétiques refusent donc qu'elle vienne dans mon village pour qu'elle ne voie pas comment nous vivons je pense. Mais nous décidons d'aller avec Edouard, Luba et sa fille à Moscou rencontrer ma sœurette Germaine. Cela fait trente-huit ans que je ne suis pas sortie de la région et j'ai un peu peur de ce voyage. Bien sûr, nous prenons le train de nuit. Nous avons rendez-vous dans le hall d'un hôtel (Cosmos, je crois). Je suis tellement émue que je ne reconnais pas ma Germaine. Quant à elle, lorsqu'elle me voit, elle s'évanouit ! Dans les pommes, ma sœurette, tellement elle est aussi émue de me revoir après... quarante ans. Quarante années déjà que nous étions dans ce train qui m'a emmenée en Union soviétique ! Nous discutons beaucoup de nos vies et nous sommes très heureuses de nous revoir, de nous embrasser et de nous serrer dans nos bras. C'est un jour merveilleux pour moi et nous voulons aller au restaurant afin de manger et de fêter notre rencontre. Mais je ne peux pas entrer dans le restaurant... Je ne suis pas bien habillée sans doute ou alors parce que je suis... soviétique ! Peut-être, ce n'est que pour les étrangers. Ou peut-être parce qu'ils ont vu que je suis trop pauvre avec de vilains habits ? Nous restons dans le hall et nous parlons. C'est déjà un grand bonheur et jusqu'à la fin de ma vie je vais garder ce souvenir extraordinaire d'avoir pu revoir ma sœurette. Mon seul lien avec la France puisque mon frère Louis est mort. Je m'en doutais car je n'avais plus de lettres de lui depuis un long moment et j'avais reçu la lettre que je lui avais envoyée avec marqué dessus « Décédé ».

Germaine qui s'est renseignée me le confirme... Louis est mort à l'hôpital d'Orgelet l'année 1983. Je suis désormais bien seule et bien loin de ma patrie.

Aujourd'hui, je suis de retour à Solntsevo. Déprimée un peu et mes enfants me reprochent de leur parler en français mais depuis que j'ai revu Germaine, je rêve en français et je réponds automatiquement aux gens en français. Ils pensent certainement que je dois devenir folle mais je ne le fais pas volontairement...

Les années passent et maintenant j'attends seulement après les visites de mes enfants et après les lettres que m'envoie ma sœurette Germaine. Le village ne change pas beaucoup. Il y a toujours autant de misère et la perestroïka n'est pas arrivée jusqu'ici. On dit qu'à Moscou, ça va mieux mais je ne suis pas sûre, car ici et à Koursk aussi, cela ne s'améliore pas. Bien au contraire, la vie devient de plus en plus difficile alors qu'avant nous n'étions pas riches mais on ne manquait pas autant. Et pourtant c'est la nouvelle époque pour l'Union soviétique, qu'ils disent à la radio et à la télévision. Que Gorbatchev, il va parler avec Reagan, le Président américain et que peut-être nous allons devenir des amis. En voilà une histoire tout cela ! Ici, les gens ne comprennent plus rien. Pourquoi Gorbatchev, il va parler à ceux qui nous veulent du mal ? Et la guerre en Afghanistan, voilà que Chevardnadze il dit qu'il faut arrêter et que les soldats rentrent chez eux. Ça c'est bien car il y a beaucoup de familles qui ont connu de grands malheurs, et moi je suis contente car mon Valéry, qui est militaire, il va pas être envoyé là-bas puisque l'on va arrêter la guerre. En attendant, à Moscou, il y a de grandes discussions sur la « *restructuration* », la « *transparence* » et tout cela. Je ne sais pas où tout cela va nous mener mais les gens, ici, ils sont pas rassurés et ils ne voient pas arriver les « *améliorations* » qu'ils promettent tous. C'est pire qu'il y a dix ou vingt ans, c'est sûr. En attendant, qu'est-ce qu'on y peut, nous ? Rien. On a juste à attendre, c'est tout.

1991

Maintenant, l'Union soviétique n'existe plus. Je suis en Russie. Mais qu'est-ce que ça change puisque je ne suis pas dans ma patrie ? En URSS ou en Russie, c'est du pareil au même pour moi, puisque je ne peux pas retourner en France. Ils disent à la télévision que le « *rideau de fer est tombé* », mais comment on fait quand on n'a pas d'argent et que la vie est de plus en plus difficile ? Ça, ils disent pas !

Cette année, j'ai reçu encore une aide de l'ambassade française. Deux versements[1] de l'« *allocation solidarité* » qui m'aident beaucoup et ils vont me permettre d'acheter du bois pour passer l'hiver. C'est une bonne nouvelle, mais

1. De neuf cent quatre-vingt-dix roubles. Soit environ cinq cents francs à l'époque (*NdE*).

voilà qu'ils me demandent encore un « certificat de vie » et le montant de ma pension. Ils ne savent pas que les retraites, c'est presque rien maintenant ? Mais je vais aller chercher je ne sais quoi comme « certificat de vie ». Si je réponds, cela doit suffire puisque je vis, non ? Je ne comprends pas bien le langage administratif et je n'ai pas assez d'éducation pour comprendre et pour répondre, et j'ai peur de ne plus recevoir l'argent car la femme qui écrit marque : « *Sans ces réponses, nous devrons malheureusement interrompre les versements ultérieurs.* » Je devais aller demander de l'aide au professeur de français de l'école mais je n'ose pas car si les gens savent que je reçois une aide je ne sais pas ce qu'ils vont penser et dire. Aussi, je préfère écrire toute seule et lorsque quelqu'un ira à Koursk, il postera la lettre, mais je sais pas ce que je dois écrire. Et si le KGB se fâche ? Je ne sais pas, mais je suis décidée à écrire tout de même et je m'en moque de ce que les autorités vont dire. Ils n'ont qu'à me verser chaque mois la retraite, que je vais leur répondre.

Surtout, qu'est-ce que je risque, maintenant ? Les enfants sont grands et ils se débrouillent tous bien. De cela, je suis très fière. J'ai bien éduqué mes enfants comme je le pouvais. C'est le seul bonheur que j'ai eu dans ma pauvre vie. Ma vie est partie maintenant et je n'ai plus qu'à attendre de mourir. On dit que l'Union soviétique n'est plus là mais ce sont toujours les mêmes communistes que l'on voit. Plus les années passent et plus nous nous écrivons avec ma sœur Germaine.

Enfin, lorsque je trouve des timbres, car tout augmente et même les timbres ! Aussi, aujourd'hui je prends ma plume :

« *Je ne t'écris pas depuis un long moment car cela fait six mois que je n'ai pas touché ma retraite et mon Volodia sa pension. Aussi c'est dur d'acheter le charbon et le ravitaillement. Je n'avais pas de sous pour acheter le timbre excuse-moi ma sœurette... Je pense toujours à ma patrie que je sais je ne reverrai jamais et nous sommes vieilles maintenant... et le chemin de fer est très cher... Pourquoi le bon Dieu me fait beaucoup souffrir*[1] *?...* »

Mes jambes me font mal et je dois retourner voir le médecin car ce n'est plus possible, elles m'empêchent de dormir la nuit. Il me dit d'aller au sanatorium ou à l'hôpital mais je ne peux pas. Je n'ai pas assez d'argent et aussi à cause de la maladie de mon mari. Maintenant, à cause de mon mari qui est malade, et à cause de mes jambes qui me font trop souffrir, j'ai pris la retraite. Heureusement que nous avons une famille bien gentille comme il faut. Mes trois filles viennent me visiter chaque jour ainsi que mon fils Edouard. Ce sont de bons enfants et ils sont tous très gentils avec nous et ils travaillent tous très dur.

Il fait très froid à l'intérieur de la maison et j'attends encore avant de chauffer vraiment car la

1. Lettre à Germaine Sergent, février 1992 (*NdE*).

vie est de plus en plus dure car les prix montent de jour en jour et la vie redevient insupportable. On n'a plus le loisir d'acheter de la viande ou des habits ou des souliers. Heureusement, Germaine m'envoie de la laine et je peux tricoter des habits chauds pour l'hiver. Je vais lui écrire et aussi lui raconter ma vie ici :

« *Le 29 septembre 1993,*

Ma chérie, ma sœurette,

Merci pour le colis de mon anniversaire. La laine et les habits seront très utiles pour toute la famille. Mille merci et mille baisers. Je réponds en retard à ta lettre du mois de juin mais j'ai connu encore des grands malheurs. Le 30 juin Edouard rentrait de son travail et il y a eu un grand malheur. Pas très loin de notre maison, deux garçons l'ont tapé pour le voler et avec une barre de fer ils ont assommé mon Edouard sur la tête. Edouard est tombé à terre et heureusement qu'un homme a vu et l'a emmené à l'hôpital. Il était tout en sang et je suis allée le voir et je croyais que mon Edouard allait mourir. Deux mois qu'ils le gardent, ils ont dit. Deux mois, et moi je suis très inquiète, mais le docteur dit que tout ira doucement et qu'il va reprendre des forces. Je prie sainte Marie pour qu'il retrouve ses forces. Pépé Volodia, il est blanc comme la neige d'avoir peur de perdre son fils. Il en oublie même de boire tellement ça l'a remué. Chaque jour, je suis avec mon Edouard à l'hôpital mais il dit qu'il a encore mal à la tête. Heureusement que cette année la récolte n'est pas trop mau-

vaise et que le bon Dieu nous a permis d'avoir beaucoup de pommes de terre car avec l'accident d'Edouard, je me suis pas bien occupée du jardin.

La santé de mon pépé Volodia ne va pas bien fort mais il continue à travailler quand même car il faut rapporter de l'argent. Aussi le soir, il part travailler jusqu'à 8 heures le lendemain matin. Il est gardien de nuit dans une usine où il y a beaucoup de machines et des tracteurs, pas chaque nuit, mais toutes les trois nuits. Ils surveillent que personne ne vient pour voler. Moi j'ai peur car il y a plus de bandits en Russie maintenant. Mais que faire, la vie est plus difficile maintenant et cela me rappelle quand je suis venue en URSS. Tu te souviens ma sœurette. Toi tu sais comment c'est dur la vie ici... »

Nous sommes le 3 janvier 1994 et j'attends ma petite-fille Nadia afin d'aller avec elle chez Luba pour fêter un peu. Elle n'habite pas loin. Cinq minutes à pied, mais cette nuit il est tombé de la pluie glacée et ce matin c'est très très froid et une vraie patinoire. Le temps est très mauvais. Nadia arrive et me dit que nous devons aller doucement car tout est gelé. Bien sûr, nous avons l'habitude mais nous marchons tout de même très doucement. Arrivées devant le magasin, nous glissons et je ne peux me rattraper. J'ai très mal au bras, au coude. Je ne peux continuer mais nous devons tout de même pour aller à l'hôpital. Le diagnostic du médecin est la fracture et il me met un plâtre des doigts jusqu'au-dessus du coude. Mes os ne sont plus jeunes et il dit que je dois garder mon plâtre deux mois sinon mon bras sera déformé. Mon Dieu, pourquoi tu es si méchant avec moi ? Me voilà obligée de rester là, à rien pouvoir faire. Même pas la soupe que pépé Volodia est obligé de faire quand nous sommes que tous les deux, mais je préfère quand une de mes filles vient à la maison et fait à manger. En attendant de me rétablir et commencer les semences pour le potager et aussi préparer les bocaux et bêcher, je regarde la télévision mais il n'y a rien d'intéressant car nous ne recevons, à Solntsevo, que la chaîne d'État de Koursk et les programmes ne sont pas bien. Beaucoup de bêtises et des séries très mauvaises. Ce que je préfère, ce sont encore les actualités même s'il n'y a pas beaucoup de bonnes nouvelles et que tout va mal dans le monde. Comme chez nous. « *Ça va passer* », qu'ils disent à la télé ! En attendant, la vie est très dure et je ne touche pas ma retraite chaque mois car parfois elle n'arrive pas et maintenant ils doivent six mois de ma retraite. Les gens ne sont pas contents mais à l'autorité ils disent que c'est à Moscou qu'ils n'ont pas envoyé l'argent. Je touche soixante francs par mois normalement. Et à la télé, ils disent que les citoyens de la Russie sont libres et qu'ils peuvent voyager. Mais je ne gagne que soixante francs par mois… ce n'est pas assez pour rentrer dans ma patrie.

Ma santé se dégrade et pépé Volodia me donne beaucoup de souci avec ses jambes et sa santé qui va pas bien du tout. Et moi, j'ai toujours mal au ventre, aussi je vais aller voir le médecin. Maintenant, les gens n'ont plus d'argent donc ils ne vont plus voir le médecin car il faut payer quelque chose. Avant c'était gratuit. Aussi, quand il me reçoit et qu'il me dit qu'il me faut subir une opération, je pense que peut-être je ne vais pas avoir l'argent pour payer le chirurgien, les médicaments, les draps et tout. « *C'est les intestins* », qu'il a dit et me voilà sur la table d'opération.

Les médecins disent que cela s'est bien passé mais moi, je ne peux pas me lever et je dois attendre allongée et sans bouger aussi. Mes enfants viennent me voir, mais je suis très inquiète car nous sommes en avril et je dois rester au repos jusqu'en juin à l'hôpital. Je me demande qui va faire le potager. Les enfants, ils disent de ne pas s'inquiéter, qu'ils vont aider pépé Volodia, mais mon Volodia, il peut plus faire le potager depuis longtemps à cause de ses jambes qui gangrènent et aussi je préfère faire moi-même. Mais je ne peux pas. Cela me fait tout drôle car c'est la première année que je ne le fais pas. C'est la vieillesse et aussi la mort qui arrive devant moi. J'ai beaucoup de mal et je n'arrive pas bien à manger maintenant. Je maigris et le médecin veut que nous allions acheter des vitamines à Koursk. Et qui va payer le transport ? Il est drôle, lui. Bien sûr que l'on ne peut pas, surtout que j'apprends que mon mari doit lui aussi subir non pas une opération, mais deux. Pour ses yeux d'abord et aussi pour ses jambes. Et comment on va faire ? Je n'ai pas assez d'argent de côté et ce sont les enfants qui sont obligés de nous aider à payer et à emprunter. Pauvre Russie, où est-ce qu'on va ? J'ai l'impression que l'on retourne en arrière et que l'on redevient pauvres avec les retraites qui ne sont pas payées. Trois mois de retard pour la pension de pépé Volodia. Trois mois ! Et Eltsine, comment il veut qu'on ait confiance et qu'on croie en je ne sais pas quoi ? Je suis très en colère après tous ces gens qui parlent dans la télévision. Ils doivent d'abord payer nos retraites et nos pensions avant de nous dire ce qu'il faut faire, croire ou espérer. Le Eltsine, au lieu de vider des bouteilles de vodka et de vendre le pays aux Américains, il n'a qu'à me payer les opérations et les médicaments, surtout que l'opération des yeux, elle se passe pas bien et que son œil gauche, au Volodia, il voit plus ! Et moi qui dois penser à acheter du charbon pour cet hiver…

Hier, j'ai reçu une lettre de mon fils Valéry et voilà qu'il me dit que son unité part à la guerre en Tchétchénie. Moi, j'ai si peur que je ne sais même plus prier pour que le bon Dieu, il s'occupe de lui. Surtout que mon pépé Volodia est très malade et voilà que son fils part à la guerre. Mon mari est maintenant amputé des jambes et il doit aussi avoir des piqûres tout le temps. Moi, je n'arrive plus à tout faire. La vie est terrible et nous mangeons les pommes de terre chaque jour avec du thé que l'on achète et parfois du pain ou du lard mais pas souvent. Quelle misère ! Cauchemar…

Au début de l'année 2000, je reçois la visite de M. Jean Tcheriatchoukine de l'ambassade française de Moscou. Cinquante et un ans après ma visite à Moscou, ils sont venus me voir ! L'ambassade m'a rendu la visite promise… il y a cinquante ans ! Je ne sais quoi penser. Je sais bien que ce n'est plus le même pays et que c'est libre maintenant, que si l'on a de l'argent, on peut voyager et acheter et vendre ce que l'on veut, mais je ne comprends pas pourquoi maintenant seulement… Je voulais tant rentrer dans ma patrie !

C'est un médecin, un docteur. Il est très gentil et je regrette beaucoup car je ne le reçois pas bien. Il m'offre un livre, me donne de l'argent et moi je le reçois mal. J'ai honte, mais qu'est-ce que je peux faire ? Pépé Volodia va mourir, je n'ai pas d'argent et je dois m'occuper de lui tout le temps. Aussi, quand il part, je ne sais comment le remercier et quoi lui dire. Mais à quoi bon maintenant ? À quoi bon ? Quelques semaines plus tard, pépé Volodia meurt. C'est un grand malheur, mais je suis aussi un peu soulagée car je suis épuisée. J'ai beaucoup maigri et je me sens sans forces maintenant. Heureusement que le docteur de l'ambassade m'a donné de l'argent pour enterrer mon Volodia, sinon je ne sais pas comment nous aurions fait. Aussi, il m'envoie un mandat et un petit paquet avec du café et un mot, mais je n'ai pas la force de lui répondre. Et à quoi bon maintenant ? Heureusement, mes enfants sont là auprès de moi chaque jour et ils s'occupent bien de moi. Je crois que je vais aller bientôt rejoindre ma maman et mon mari dans le trou.

Une étrange rencontre

Nous sommes début février 2002. Je ne sais pas quel jour exactement. Le 8, je crois. Dehors, il fait très froid. Plus de vingt degrés en dessous de zéro. Il est très tôt le matin et je suis surprise car quelqu'un vient de frapper à ma porte. Certainement un enfant, car la voisine ne passe jamais tôt le matin. J'ouvre et je vois deux jeunes hommes. « *Bonjour, parlez-vous français ?* » demande en russe le plus grand. Je comprends à son accent et à sa façon de parler qu'il n'est pas russe. Le plus petit l'est, j'en suis sûre. Je réponds : « *Oui, monsieur, je parle un petit peu le français. Je suis française.* » J'ai les larmes aux yeux et je ne peux me retenir de pleurer lorsqu'il me répond, en français cette fois : « *Bonjour, je m'appelle Nicolas Jallot, je...* » Le deuxième s'appelle Daniel et c'est un Russe du Nord. Je les fais entrer bien sûr et je prépare un thé bien chaud. Ils arrivent de Koursk où ils sont venus de Moscou par le train de nuit. Ils n'ont pas froid et je vois qu'ils sont comme des Sibériens, malgré le froid et la neige, ils sont arrivés jusqu'à Solntsevo ! Ils m'expliquent qu'ils enquêtent sur les Français d'origine russe ou les Français mariés à des Russes qui sont venus s'installer en Union soviétique au lendemain de la Seconde Guerre mondiale. Nicolas veut tourner un film pour la télévision et aussi écrire un livre à partir de tous les témoignages qu'il enregistre en Russie. Je ne peux pas le croire... Mon Dieu... après cinquante-cinq années ! Je lui raconte mon histoire. Enfin, j'essaie, car j'ai oublié beaucoup. Ensuite, nous mangeons. Je n'ai pas grand-chose. Nous partageons des œufs et lorsque mes enfants viendront me visiter, ils iront chercher du ravitaillement et nous mangerons plus. Daniel est très gentil et après avoir mangé, il veut me couper du bois dehors. Grand Dieu, voilà les deux visiteurs qui veulent m'aider ! Moi, je ne veux pas. Ils sont très gentils et bien sûr j'accepte quand ils me demandent si je veux bien être filmée quand ils reviendront avec une équipe et le matériel. Ils disent que c'est prévu pour le milieu du mois de mars.

Maintenant, j'attends qu'ils reviennent. J'attends et j'attends. Aussi aujourd'hui, nous sommes le 13 ou 14 mars, je brûle les tas de détritus devant ma maison. J'entends une camionnette qui arrête près de chez moi. « *C'est eux !* » que je dis. Nous nous embrassons et pendant qu'ils préparent leur matériel, je prépare la cuisine et la table pour leur offrir un bon repas. Mes filles viennent m'aider. Toute la famille passe me rendre visite et faire connaissance avec l'équipe du film. Nous passons une très bonne journée et les trois garçons français, Christian, Nicolas et Xavier, sont très gentils. Je passe de très bons moments avec eux, ils sont très joyeux et ils aiment rire. Moi, c'est avec grand plaisir que j'entends parler le français et que je peux parler avec quelqu'un en français. Christian, je lui présente ma petite-fille. Peut-être il voudra l'épouser ? Mais déjà, ils doivent repartir car ils m'expliquent qu'ils doivent encore aller filmer et enregistrer d'autres personnages pour le film. Quand on se dit au revoir, je suis triste et je prends un crayon et une feuille de cahier pour leur écrire déjà. Ils ont promis de revenir mais j'ai peur, je ne vais pas vivre très longtemps.

Depuis ce jour, je ne fais que parler français. Cela agace mes enfants et mes petits-enfants. « *Pourquoi tu parles en français ? Pourquoi ?* » qu'ils demandent tout le temps. Ils ne peuvent pas comprendre le grand bonheur que j'ai eu de parler avec des Français. Maintenant, je suis vraiment seule. Toute seule. Alors, j'écris à ma sœurette Germaine pour lui raconter le tournage du film et aussi ma vie maintenant à Solntsevo avec tous les grands malheurs qui sont aussi arrivés cette année. Tout d'abord la fille de ma fille Zoïa est morte. Elle a fait un malaise et elle est morte. C'est un grand malheur. Pauvre petite, elle avait dix-huit ans et déjà un petit garçon, Cyril. Un adorable petit garçon qui se retrouve orphelin et vit chez ses grands-parents car de père il n'a pas. Ma petite-fille était partie se promener et elle a attrapé un enfant alors qu'elle avait peut-être quinze ans ou seize ans. Ma fille Zoïa est très triste, très déprimée, mais elle est très courageuse et s'occupe très bien de son petit-fils, mon premier arrière-petit-fils. Un autre grand malheur est aussi arrivé, j'ai été cambriolée. Pourtant, je n'ai rien à voler. Mon fils Edouard est tout de suite arrivé et il a ordonné une enquête. Dans le village, il y a eu aussi d'autres cambriolage. Plus graves. Et l'enquête nous a apporté un grand malheur puisque le coupable est un de mes petits-fils. Le fils de Véra, qui est effondrée de cette histoire. Cette année, il a été condamné à six ou sept ans de prison et il est à Koursk où la prison est surpeuplée et où la vie est difficile comme la vie dans les prisons en Russie. C'est un autre très grand malheur pour la famille et nous n'en parlons pas même si nous faisons envoyer des colis et des médicaments.

Autre malheur, moins important, mais qui me donne du souci : je ne vois pas souvent mes deux petits-fils de Valéry. Ils ont quatorze et seize ans maintenant, mais ils vivent tantôt avec leur mère, et tantôt avec leur père. Ils ont divorcé et la situation de famille ne va pas aider à ce qu'ils viennent me voir. Les distances sont grandes et le chemin de fer trop cher. Aussi, j'espère que mon fils va bientôt venir me voir. Pour la deuxième fois, il est retourné pour trois mois avec son unité en Tchétchénie. Et comme il est dans les transmissions, j'ai peur qu'il lui arrive malheur. C'est la deuxième fois qu'il y va et ce n'est pas bon pour un sous-officier d'aller là-bas. Je lui écris, mais je suis inquiète et j'espère qu'il va bientôt me rendre visite avec ses fils. Quant à ma santé, ça va comme ci comme ça et le médecin me dit de me reposer, mais je ne peux pas car il faut bien s'occuper du potager et de la maison. C'est la vie.

2003 : la plus belle année de ma vie

Nous sommes maintenant l'année 2003. J'ai reçu trois cartes de vœux de bonne année. De ma sœurette Germaine du Pas-de-Calais, de son fils Serge et aussi une de Nicolas qui me dit qu'il va bientôt venir en Russie et qu'il va m'apporter la cassette du film *Piégés par Staline*, et un exemplaire du livre. Je suis contente mais il fait très très froid ce mois de janvier et il va avoir beaucoup de difficultés à venir jusqu'au village et jusqu'à ma maison, mais je sais qu'il va venir. Quelques jours plus tard, je reçois un extrait d'acte de naissance. C'est Nicolas qui a demandé à la mairie de Cousance de l'envoyer. Je suis très émue et je n'arrive pas à retenir mes larmes. Le tampon sur l'enveloppe est « Cousance, Jura ». Je l'embrasse et je le serre très fort contre mon cœur. Jamais je ne pouvais imaginer recevoir une lettre de Cousance, mon village natal !

Nicolas est venu comme il l'avait écrit et il m'a apporté la cassette et le livre, *Piégés par Staline* et un journal français où il y a une grande photo de moi et un article qui parle de la pauvre vie que j'ai subie. Je suis très émue. Aussi, le livre est très bien. Je le lis et je le relis plusieurs fois et j'apprends, je comprends mieux ce qui m'est arrivé et comment je me suis fait « piéger » par la grande histoire. Mon Dieu, quelle grande faute j'ai faite !

Maintenant, voilà que j'ai de nouveau des contacts avec mon Jura que j'adore tant. Aussi, en mai, je reçois un brin de muguet et un mot de Catherine de la mairie. Je suis très contente et très émue.

Quelques semaines plus tard… comme chaque matin je vais regarder si j'ai une lettre dans la boîte. Ce matin, il y a une lettre d'une dame de

Cousance, madame Françoise, qui me dit que des gens ont créé un comité de soutien pour m'aider à revoir ma patrie et essayer de m'offrir un voyage[1]. Je ne comprends pas très bien. Mais la lettre raconte aussi qu'ils recherchent l'argent pour m'offrir ce rêve. C'est possible ? C'est vraiment vrai ? C'est incroyable et je n'arrive pas à y croire. Et comment je vais pouvoir les remercier, tous ces gens ? Comment ? Les mots ne suffisent pas pour leur exprimer tout ce que je ressens dans mon cœur. C'est un rêve et je n'ose vraiment y croire. Et surtout, vais-je vivre jusqu'à ce qu'ils viennent me chercher ? J'espère et j'ai la force de me garder en bonne santé pour ce grand voyage. Mon moral n'a jamais été aussi bon depuis... plus de cinquante-sept ans. Cinquante-sept ans sans voir ma patrie ! Je n'arrive pas à y croire. Dieu existe, j'en ai aujourd'hui la preuve.

Lorsque j'en parle à mes enfants, mes filles tombent en larmes. Elles n'osent pas croire cela possible. Elles disent que c'était leur rêve de toute leur vie de m'offrir un voyage dans ma patrie mais que jamais elles n'auront assez d'argent pour que cela soit possible. Elles sont heureuses pour moi et cela me serre fort dans mon cœur.

---

1. À la suite de *Piégés par Staline* un comité de soutien s'est constitué à Cousance, dans le but d'offrir un voyage à Renée Villancher afin qu'elle puisse revoir sa terre natale (*NdE*).

De ce voyage, de ce « *pèlerinage* », comme écrit très justement le journaliste du Jura, René Tribut[1], je veux surtout ramener de la terre en Russie. Je veux rapporter un petit sac de terre de ma patrie, de mon village, afin d'y être enterrée dedans. Voilà mon vœu le plus cher. C'est tout. Après, je peux rentrer et je pourrai mourir en paix en ayant revu mon Jura. Maintenant, il ne faut pas oublier de finir de bêcher la terre, de faire les plantations et aussi de s'occuper des futures récoltes pour l'hiver. Après seulement, je préparerai mon grand voyage, je vais faire une demande de passeport aux autorités (mon fils Edouard va s'en occuper avec Luba) et je vais demander à madame Hélène, le professeur de français de l'école, de venir parler avec moi en français pour apprendre et m'entraîner à parler avant d'aller dans ma patrie. J'ai honte car je ne parle pas bien ma langue, maintenant, et aussi car je n'ai pas de beaux habits pour aller dans ma patrie. Mais je suis pauvre et heureusement, grâce à mes amis de France, je reçois de nouveau l'aide, régulièrement, de l'ambassade. Une grande somme, puisque c'est presque cent quatre-vingts euros je crois, m'évite d'avoir trop de soucis et va m'aider à acheter un habit et un sac pour aller en France. Aussi, grâce à cette aide, pour la première fois j'ai déjà acheté le charbon et le bois pour tout l'hiver ! Une chaîne et un gros cadenas à clef aussi pour fermer la remise et pour que

1. René Tribut, *Les Dépêches-Le Progrès*, dimanche 15 juin 2003 (*NdE*).

l'on ne me vole pas. Grâce à cet argent, j'ai la garantie de vivre jusqu'à l'été 2004 sans problème. Surtout qu'ils ont envoyé une lettre pour me dire que je vais continuer de recevoir cette aide sociale encore quatre années. Si la récolte des pommes de terre est bonne, alors ça va. Je vais pouvoir passer l'hiver tranquillement et aussi aider mes enfants et mes petits-enfants qui ne gagnent pas beaucoup, car maintenant en Russie les salaires sont très très bas et les prix des choses très chers. Et en France ? Je ne sais pas, mais j'espère bientôt voir par moi-même. J'attends, j'attends ce grand voyage. Ce rêve de toute ma vie, revoir ma patrie. Je n'ose pas croire que je vais revoir ma France !

Chapitre 7

« *Maintenant, je peux mourir en paix* »
(2003-2004)

Nous sommes le 21 septembre 2003. Ce matin, je me suis levée très tôt car je pensais que peut-être mes amis français allaient venir de bonne heure. Cette nuit, j'ai mal dormi car je pensais à cette visite que j'attends tant. Il est déjà dix heures et j'ai peur qu'ils ne viennent pas. Je suis inquiète car ils ont fait prévenir par un télégramme de Moscou qu'ils arriveraient ce matin mais je reste dans ma maison et j'attends. Ah, je suis heureuse car j'entends frapper à la porte. Une dame se présente. C'est madame Françoise du Comité du Jura. Nous nous embrassons. Je ne peux retenir mes larmes tellement je suis émue. Elle aussi. Nous rentrons dans ma petite maison alors que l'équipe de télévision nous suit et filme notre rencontre. Il y a là Nicolas, qui est toujours aussi « *Gloupi Gavarit*[1] », dont je vous ai parlé, Xavier, qui filme avec sa caméra et celui qui enregistre le son, Christian, qui rit tout le temps et fait toujours beaucoup de bêtises. Et aussi, ils

1. Celui qui raconte des « bêtises », des blagues (et qui fait l'idiot). (*NdE.*)

sont venus avec Kamir, un ami français de Nicolas qui est journaliste à Moscou et qui parle très bien le russe et qui est très gentil. Il y a aussi un Russe, mais j'ai oublié son nom. Que je suis heureuse de recevoir mes amis de France dans ma maison ! Je sais que ma maison n'est pas très belle et je m'en excuse. Aussi, nous allons préparer un grand déjeuner car mes amis doivent avoir faim après ce long voyage. Je vais aussi présenter à Françoise mes enfants et mes amis. D'ailleurs, voilà Luba qui arrive. « *Je commençais à m'inquiéter*, qu'elle dit avant d'expliquer : *Le déjeuner est prêt chez moi. Nous vous attendions plus tôt.* » Nicolas ne veut pas qu'on mange maintenant car ils doivent filmer d'abord. Aussi, nous commençons à faire le tournage et à répondre aux questions, mais mes autres enfants arrivent... C'est un jour de fête pour nous. Edouard, sa femme, ses enfants, Zoïa, Carine, ma petite-fille, Sacha, mon petit-fils, tout le monde est là et vient dire bonjour et merci à madame Françoise. Les voisins aussi. Bien sûr que mon isba est trop petite pour accueillir tout le monde et il y a aussi des gens dehors. Heureusement, il fait pas froid et il pleut pas. Nous pouvons nous asseoir sur les bancs et discuter. Hélène, le professeur de français, vient nous rejoindre et fait connaissance. Depuis quelques mois, nous nous voyons presque chaque jour et nous parlons français ensemble. Nous sommes ainsi devenues des amies et nous nous entendons très bien. Hélène est une belle femme, intelligente et très gentille. C'est grâce à elle que j'ai retrouvé ma langue et que je peux maintenant vous raconter mon histoire. Ensemble, nous chantons aussi parfois des chansons ou des comptines... C'est elle qui apprend le français à mon petit-fils, Sacha, que j'aide le soir à faire ses devoirs.

Maintenant, je sais que grâce à mes amis français je vais revoir ma patrie. Alors que nous préparons nos sacs, Luba et moi, et que nous allons acheter des cadeaux pour apporter en France, je n'ose pas encore y croire. Et pourtant, tout cela semble bien réel. Cet après-midi, nous allons à l'église afin de nous faire bénir par le pope pour ce long voyage. Moi, je suis catholique mais ici, bien sûr, il n'y a qu'une église orthodoxe. Et avant, il n'y avait même pas d'église du tout. C'était interdit en Union soviétique, mais maintenant que c'est la Russie, les gens sont redevenus croyants et ils vont aux offices parfois, comme ma fille Luba, par exemple. Moi, interdit ou pas, j'ai toujours prié le bon Dieu et sainte Marie aussi. Comme je le faisais à Lons-le Saunier. Ici, notre pope est très gentil. Il nous souhaite un bon voyage et nous bénit pour que tout se passe bien. Je mets un cierge et je prie pour que le bon Dieu, il me garde en vie jusqu'à ce que je revoie ma patrie. Et que je sois enterrée dans ma terre natale.

Aujourd'hui, Luba a tué les canards et préparé un grand repas pour que cela nous porte chance et pour que le voyage se passe bien. Mes enfants, mes petits-enfants mais aussi mes amis, mes voisins, tous viennent me dire un petit mot et me souhaiter bon voyage dans ma patrie. Depuis quelque temps déjà, tout Solntsevo ne parle que de ça : mon voyage en France ! Quelle chose incroyable, inimaginable, aller de Solntsevo à Paris ! Aussi, je suis très surprise et émue de voir ce soir qu'il y a beaucoup de monde sur le quai de la gare. Comme jamais je n'ai vu. Mes enfants, la famille, mais aussi des voisins, des amis et des curieux qui sont venus me voir. Voir « *Renée la Française* » repartir dans sa patrie !

Quand le train arrive, il faut faire vite. L'équipe du film court avec tous les bagages. Ils sont chargés comme des mulets. Xavier filme. Moi, je suis comme transportée, soulevée, et je me retrouve à la fenêtre du train sans même me rendre compte que nous partons. Tout s'est passé si vite... que je n'arrive pas à réaliser que je repars dans ma patrie. À travers la fenêtre sale recouverte de buée et mes larmes, je devine tout le monde me dire au revoir.

Dans le train, nous parlons avec Françoise et Luba. Et aussi je repense à ce terrible voyage, quand je suis allée à Moscou... il y a plus de cinquante ans, mon Dieu ! Xavier joue avec un appareil. Je crois que c'est un jeu mais il parle dedans et j'apprends que c'est un téléphone sans les fils. D'abord, je ne le crois pas, mais ensuite il m'explique et il peut téléphoner n'importe où. Bien sûr, dans notre village, il n'y a pas de ces téléphones portables et je suis très impressionnée. Comme cela, partout où il va, Xavier ne peut pas se perdre. Nous ne dormons pas beaucoup, aussi, en arrivant à Moscou, nous sommes très fatigués.

Qu'il est grand, ce « gratte-ciel[1] », et l'équipe du tournage me fait croire que je vais dormir tout là-haut. Moi, je ne veux pas, c'est trop haut et jamais je ne vais pouvoir monter jusque-là ! L'hôtel Ukraine où nous devons nous reposer est un grand et très joli hôtel. Le hall est très luxueux et nous attendons un moment dans de grands fauteuils, très confortables. Françoise m'annonce que nous allons habiter au dix-neuvième étage, chambre 1903. Mon Dieu, quelle histoire, bien sûr que je ne veux pas monter dans ces cercueils qu'ils appellent « ascenseurs » ! Mais je n'ai pas le choix. Françoise m'explique qu'il n'y a pas de danger. Moi, j'ai l'impression de monter au ciel ! Christian, de l'équipe du tournage, rigole et me fait des blagues. Mais moi, j'ai peur. Sûr que je vais pas passer mon temps dans ces machins-là. Quant à la chambre, on se croit au paradis ! Que c'est beau et la vue aussi, très jolie, même si je n'ose pas trop m'approcher pour regarder. C'est haut et j'ai peur d'avoir le vertige. Aussi je découvre le confort. Je ne connaissais pas les « *chasses d'eau* » et Christian dit : « *Vous tirez et y a de l'eau comme s'il en pleuvait tous les jours* », mais quand vous faites fonctionner la chasse

1. L'hôtel Ukraine est l'une des sept « *maisons hautes* », ces gigantesques constructions staliniennes qui caractérisent Moscou (*NdE*).

d'eau plusieurs fois de suite… y'a plus d'eau ! « *Gloupi Gavarit* », lui aussi !

Maintenant un peu de sérieux, nous devons nous reposer avant d'aller chercher mon visa à l'ambassade française.

Dans le taxi pour aller à l'ambassade, je regarde Moscou, qui a beaucoup changé. Je suis très surprise par toutes les voitures qu'il y a. Beaucoup de magasins aussi. La vie est très différente maintenant. Une grande ville comme dans les films américains de la télévision. Lorsque nous arrivons devant l'ambassade française, je ne reconnais pas. J'ai peur. Je ne sais pas pourquoi, mais j'ai peur d'y entrer. Quel souvenir ! Heureusement que mes amis français et que Françoise sont avec moi car je n'oserais pas y entrer. Le consul me pose quelques questions et il n'est pas très aimable. Aussi, je lui réponds : « *Je comprends, je comprends* », mais en réalité je ne sais pas si je comprends bien ce qu'il me dit avec tous les papiers, les visas et tout ça. Il doit demander à Françoise ou à Nicolas. Eux, ils savent. J'espère ne pas rester trop longtemps, car mes jambes me font beaucoup souffrir, je suis très fatiguée et je ne veux pas rester ici. Aussi, j'apprends que le Dr Tcheriatchoukine qui était venu me rendre visite à Solntsevo est maintenant à Paris et qu'il ne travaille plus à l'ambassade depuis plusieurs mois. Je voulais le saluer et le remercier mais il n'est plus ici. Maintenant, nous devons rencontrer Monsieur l'Ambassadeur. Monsieur Jean Cadet. Lui est très différent du consul et il est très très gentil. Ces paroles qu'il me dit sont pour moi comme un cadeau et elles sont très gentilles. Il me dit qu'il vient juste d'arriver à Moscou et qu'il est très content pour moi que je peux faire ce voyage dans ma patrie. Il est ému lui aussi et il me donne un passeport français en me disant qu'il est « *heureux de me redonner la nationalité française. — Mais j'ai toujours été française, monsieur !* » que je lui réponds.

Nous nous embrassons et il me souhaite « *Bon voyage* », en me disant que je dois revenir le voir après. Je ne sais pas si cela va être possible car c'est très difficile pour moi de venir à Moscou où je ne connais personne. Les chemins de fer sont aussi trop chers et c'est très fatigant à mon âge. Monsieur l'Ambassadeur est très gentil avec moi et je ne sais comment le remercier de ses jolies paroles et de l'aide qu'il me fait parvenir.

L'envol

Aujourd'hui, jeudi 25 septembre. Je vais prendre l'avion pour aller dans ma patrie. Je n'ai pas peur de prendre l'avion, non. Je sais que cela va très bien aller même si j'ai un petit peu peur lorsque j'apprends que nous sommes à dix kilomètres au-dessus de la Terre. Je fais le signe de croix et je prie. Après le repas, nous devons bien nous attacher et nous allons atterrir à Paris. J'essaie de voir déjà le sol de ma patrie par la fenêtre mais j'ai un peu peur de regarder dehors car nous sommes très haut au-dessus de la Terre. Nous descendons, nous descendons et je regarde le sol de ma patrie. Mon cœur se serre très fort et je suis très heureuse. L'avion bouge et nous venons juste de toucher le sol de France. Le commandant de bord dit qu'il « *souhaite la bienvenue et un bon retour à madame Renée Villancher Soklakova sur sa terre natale* ». Je suis sur le sol de ma patrie et mes larmes coulent, coulent sur mes joues. Plusieurs personnes nous attendent à la sortie de l'avion et nous offrent à boire et un monsieur du ministère me donne une lettre pour moi. Mes amis français me disent que je peux l'ouvrir et la lire. Je le fais :

LE PRÉSIDENT DE LA RÉPUBLIQUE

Paris, le 25 septembre 2003

Chère Madame,

Au moment où vous rejoignez votre terre natale, 57 longues années après l'avoir quittée, je tiens à vous exprimer, à titre personnel et au nom du peuple français tout entier, nos vœux les plus chaleureux de bienvenue.

C'est avec joie et émotion que la France, votre patrie, vous retrouve après une si longue séparation. Les mots sont peu de chose pour exprimer le profond sentiment d'amitié et de solidarité qu'a suscité chez nos compatriotes le récit de votre vie, comme en témoigne le dynamisme du Comité de soutien qui s'est spontanément constitué dans votre région, le Jura.

Votre histoire personnelle nous rappelle aussi notre devoir de mémoire vis à vis des nombreux citoyens français qui ont été retenus contre leur gré, après la guerre, en Union soviétique, et dont le destin injuste et tragique, est trop méconnu.

En vous souhaitant à nouveau un excellent retour en France, je vous prie d'agréer, Chère Madame, l'expression de mes respectueux hommages et de mes bien cordiales amitiés,

Jacques CHIRAC

Madame Renée VILLANCHER

Je ne sais que dire. Je pleure maintenant…

Je fais la connaissance de Gérard Tronel, un monsieur tellement gentil et tellement sympathique avec ma Luba et moi que je ne sais comment le remercier. Ce soir, nous dormons chez lui et demain nous allons prendre le train pour le Jura et Cousance…

Vendredi 26 septembre. Je regarde le paysage défiler. Le TGV va vite mais j'arrive à voir comme ma patrie est belle. Je n'avais pas ce souvenir d'une France aussi jolie, aussi verte. Il est vrai que lorsque j'ai fait ce voyage en train, dans l'autre sens, il y a plus de cinquante-sept ans, c'était encore la guerre et beaucoup de villages étaient détruits. Je ne peux m'empêcher de penser à ces cinquante-sept années qui se sont écoulées entre ces deux voyages en train. Mon Dieu, toute ma vie entre ces deux trains… Quel cauchemar !

À Bourg-en-Bresse, je crois, nous changeons de train et nous prenons un train plus petit pour aller à Cousance, dans le Jura.

Il est dix-sept heures trente. Le train ralentit et il s'arrête. Je descends du train et… Oh mon Dieu, qu'est-ce qui m'arrive ? Il y a la fanfare qui joue. Et tout le monde qui applaudit. J'ai honte et j'ai peur de m'évanouir. Je me blottis dans les bras de Luba. J'ai peur. Le maire de Cousance, avec son écharpe bleu, blanc, rouge, vient m'accueillir avec sa femme et il y a là plein de gens que je ne connais pas. Je n'aurais jamais imaginé tout ça… Jamais. Je remercie, bien sûr, et je m'excuse de ne plus parler assez bien le français. L'émotion est très forte et je crois que mon cœur va comme exploser. C'est comme dans un conte. C'est merveilleux. Oh, mon Dieu... Et maintenant une dame me prend le bras et me montre la photo de classe d'Orbagna. « *Tu me reconnais pas ? Je suis là. — Thérèse* », que je réponds aussitôt. Bien sûr que je me souviens de Thérèse. Nous allions ensemble à l'école. Nous nous embrassons. Je parle un peu avec Thérèse et elle me rassure et me dit que nous allons nous revoir et manger ensemble dimanche...

Après, nous allons dans une salle où tout le monde m'attend. Le maire me présente tous ces gens de Cousance et du Jura. Il m'offre une grande photo de Cousance et un coffret avec une plaque qui me fait « *citoyenne d'honneur de Cousance* ». Annie, qui m'accueille dans sa maison pendant mon séjour dans le Jura, dit un beau poème qu'elle me donne ensuite :

« Bienvenue dans votre pays,

Après toutes ces années passées si loin de votre patrie,
Mais ô combien de souffrances dans votre vie,
Vous avez franchi les frontières de la liberté.
Enfin, vous recouvrez votre identité.

Vous me faites un grand honneur,
En consentant cette modeste faveur ;
Je vous reçois dans ma maison,
Soyez assurée de mon admiration.

Ce pèlerinage est celui du grand retour,
Profitez pleinement de votre séjour ;
Vous méritez beaucoup de louanges,
Acceptez-les sans tempérance.

Lorsqu'en Russie vous repartirez,
À vos proches, contez notre fraternité ;
Vous répandrez votre bonheur,
Vous resterez une femme d'honneur.

Annie Chambade-Bréant
(trésorière du comité de soutien
à Renée Villancher), 26/09/2003. »

Et maintenant, il y a beaucoup de gens qui veulent me dire bonjour, parler avec moi, m'embrasser. Je fais connaissance avec beaucoup et je me souviens de quelques noms que l'on me dit. Il y a aussi Thérèse, ma copine Thérèse qui est là. On se souvient et on bavarde… c'est merveilleux. C'est merveilleux !

Aujourd'hui, samedi, nous restons à Cousance. Je fais connaissance avec les gens du Comité. Annie, Françoise, Catherine et des gens de la mairie aussi. Je regarde Cousance, mais je ne reconnais rien bien entendu puisque je suis partie vers l'âge de deux ou trois ans vivre dans un village d'à côté, Orbagna, où nous allons demain après la messe. Ce soir, je suis très fatiguée et j'essaie de trouver le sommeil, mais c'est difficile car je pense à tout ce qui m'arrive et je ne peux pas le croire…

Dimanche 28 septembre. Je vais aujourd'hui à la messe à Cousance. Cela fait très longtemps que je ne suis pas allée à la messe catholique. Cinquante-sept ans ! La dernière fois, c'était à La Celle-Saint-Cloud où était le camp de Beauregard. Nous avions la possibilité de sortir du camp et parfois j'allais à l'église. Bien sûr que je ne reconnais pas les habitudes de l'office. J'essaie de chanter mais cela va trop vite pour moi. Cependant, je suis très heureuse d'être là, au milieu des paroissiens de mon village où je suis née. Je suis seulement un peu surprise par la longueur de l'office car, en Russie, la messe orthodoxe est très longue. À la sortie, monsieur le curé vient parler avec moi. Il va m'offrir un missel et un chapelet. Je suis très heureuse. Même s'il pleut un peu, je trouve cette journée très belle. Nous allons maintenant à Orbagna, sur les lieux de mon enfance, là où j'ai habité de l'âge de trois à onze ans. Dès que j'aperçois le village, des souvenirs me reviennent. Cela n'a pas beaucoup changé. Le village, qui est très fleuri, n'a pas grandi et, comme à mon époque, il n'y a pas plus de trois cents habitants. La mairie où nous sommes attendues est… mon ancienne école !

C'est extraordinaire, tous mes anciens camarades de l'école m'attendent. Il y a Thérèse que j'ai déjà vue à la gare, Gilberte aussi chez qui nous allons ensuite déjeuner et Paul… le seul garçon encore vivant. Monsieur Jacques Mazier, le maire, fait un joli petit discours, et il m'offre des photos d'Orbagna, une ancienne photo de classe sur laquelle mes anciens camarades ont marqué un petit mot pour moi avec leur nom et leur signature, et aussi un bocal de terre d'Orbagna. Je suis très émue et je le remercie mille fois de tout cœur.

Nous reposons, soixante-huit ans après, pour la photo de classe[1]. C'est pour moi une grande joie d'aller à la fromagerie où nous allions souvent et aussi d'aller avec Gilberte et Thérèse jusqu'à la maison où j'ai habité. Là, je reconnais bien sûr car le village n'a pas beaucoup changé. Il est plus beau, oui, mais les maisons sont toujours là où elles étaient sauf la fontaine où on jouait à nous arroser en rentrant de l'école. Thérèse m'aide à me souvenir et j'essaie de me rappeler… Maintenant, je me souviens de plus en plus et, lorsque nous discutons dans le jardin qui était le mien, je revois très bien maman dedans. Ma maison aussi, je me souviens bien et je suis très émue qu'elle soit encore debout. Je ne croyais pas et je suis très heureuse. Orbagna est un très joli village avec ses murs de pierre, ses jolies maisons et sa vue sur la vallée. C'est très beau.

Aussi, la maman du maire me permet de prendre moi-même de la terre dans ce qui était, il y a plus de soixante ans, mon jardin. J'ai les larmes aux yeux, mais cette fois ce sont des larmes de joie. J'ai réalisé un rêve que je ne croyais jamais possible de réaliser. J'ai l'impression de rêver mais je suis bien là. Chez moi. Sur ma terre. C'est aujourd'hui le plus beau jour de

1. Voir cahier photos (*NdE*).

ma vie et il intervient à plus de soixante-seize ans grâce à la générosité des gens qui ont beaucoup fait pour que je puisse revoir ma patrie. Les mots ne suffisent pas pour les remercier et je ne sais pas quoi dire ni que faire pour ce grand bonheur qu'ils m'ont offert. Orbagna est dans mon cœur pour toujours.

Lundi 29 septembre. Aujourd'hui aussi, c'est une grande journée pour moi puisque je retourne à Lons-le-Saunier, là où je suis allée à l'école, là où j'ai habité et où j'ai vécu sept ou huit ans. La ville de Rouget de Lisle et la ville de ma jeunesse d'où je garde, contrairement à Orbagna, plus de mauvais souvenirs que de bons. C'était la guerre… À l'angle de la rue des Écoles et de la rue Saint-Désiré, nous retrouvons les membres du comité et monsieur Jacques Pélissard, le député et maire de Lons-le-Saunier. C'est un très beau et grand monsieur. Très gentil aussi, qui a fait beaucoup pour aider le comité à me faire revenir dans ma patrie. Ensemble, nous allons devant le 10, rue des Écoles où j'ai habité pendant la guerre avec maman. Si je reconnais bien la rue, la maison, je ne me souviens plus très bien. Ensuite, dans le jardinet devant l'église Saint-Désiré, monsieur Pélissard s'accroupit et il met de la terre dans un sac en plastique qu'il me donne. Maintenant, nous montons les marches de l'église. J'ai très mal aux jambes et monsieur Pélissard m'aide. Nous entrons dans l'église et je ne peux retenir un sanglot lorsque je vois le bénitier et la place où je m'asseyais toujours quand je venais à la messe. « *Excusez-moi* », que j'arrive à dire avant de m'asseoir pour dire une courte prière au bon Dieu.

En sortant, monsieur Pélissard m'invite à me rendre à la mairie où il veut m'offrir un cadeau. Chemin faisant, nous discutons beaucoup. Aussi, je reconnais un peu la place de la Liberté qui a pourtant complètement changé mais où j'avais un petit « *cavalier* » que j'attendais longtemps à la sortie de son travail. Je n'aurais jamais dû partir avec l'homme avec lequel je suis partie. C'était une grande bêtise…

À la mairie, je reçois encore des cadeaux et nous parlons beaucoup, et avec le maire, et avec les amis du comité.

Ce soir, je suis très fatiguée. Mes jambes me font souffrir et je dois me reposer plus, mais nous avons le dîner chez monsieur Troupel, le maire de Cousance. Demain, nous allons à Orgelet avec Christian, le maire de Maynal où a habité mon frère Louis, afin de nous recueillir sur sa tombe.

Mais Christian vient nous rendre visite ce soir. Aujourd'hui, il est allé se renseigner à l'hospice d'Orgelet pour savoir où était vraiment enterré mon frère Louis. Là, vingt ans après sa mort, on lui a remis une enveloppe de ce qui appartenait à mon frère Louis Moureau. Il me la donne. Je l'ouvre. Il y a des lettres que j'ai écrites à mon frère, quelques photos et sa carte d'identité. Je sens mon cœur se presser tellement fort que je ne peux me retenir de pleurer.

Curieuses retrouvailles avec mon frère à travers le contenu de cette enveloppe. Retrouvailles qui me provoquent des crises de larmes. Aussi, après avoir pris congé de nos hôtes, nous n'arrivons pas, Luba et moi, à fermer l'œil de la nuit. Mon Dieu, que la vie est triste. Cauchemar.

Mardi 30 septembre. Christian, le maire de Maynal, et Françoise nous accompagnent au cimetière d'Orgelet. Tout d'abord, nous ne trouvons pas la tombe. Il y en a trois sans nom. Certainement, c'est l'une d'elles et, avec Luba, nous décidons de les fleurir toutes les trois. Arrive un monsieur du cimetière à qui nous demandons s'il sait où est enterré mon frère. Il répond que oui et il nous montre des tombes qui ne sont pas des tombes mais de la terre avec des mentions sur des plaques à même la terre. Sur l'une d'elles : « L. M. » ; c'est ici qu'a été enterré mon frère Louis. Gérard m'explique alors ce qu'est le carré des indigents. C'est pour moi un choc terrible et je ne sais pas comment dire, comment expliquer tout ce que je ressens…

J'insiste cependant pour aller à l'hospice. Nous y apprenons que pour l'hospice mon frère n'était qu'un épais dossier médical et administratif. En insistant, une vieille dame me dit se souvenir d'un homme qui venait voir mon frère et qui vit toujours. Nous allons le voir et il me dit : « *Il y a longtemps, j'ai travaillé avec Louis. C'était un bon vivant, gai, qui a vécu ces dernières années dans des conditions convenables et je ne crois pas qu'il souffrait de son handicap (il avait une prothèse à la jambe). À ma connaissance, il n'avait pas de famille et les seules visites qu'il recevait étaient limitées à des copains d'Orgelet ou des environs.* »

Maintenant, nous rentrons chez Annie, à Cousance. Je regarde le paysage et je suis très triste car je n'ai pas appris ce que je voulais apprendre de Louis. Je ne reconnais pas ce passé qui ne coïncide pas avec celui que je m'imaginais. Je suis très fatiguée et je n'ai pas très envie de voir du monde. Je suis heureuse de revoir ma patrie, mais aujourd'hui je suis très triste de comprendre la pauvre vie de notre famille. Pourtant, après nous allons aller visiter des amis, membres du comité et aussi il y a monsieur le curé que je veux revoir et mes anciens camarades, et mes nouveaux amis du Jura et… oh, mon Dieu, je ne vais pas avoir assez de temps pour dire le grand merci que je veux dire à tout le monde. Pardonnez-moi, mes amis, si je ne vous ai pas dit encore et encore merci mais je n'ai pas eu le temps et aussi je suis très fatiguée.

Demain ou après-demain, il nous faut déjà repartir à Paris avec Gérard et après je vais aller rendre une visite à ma sœurette Germaine-Ginette, dans le Pas-de-Calais.

Vendredi 3 octobre. Après que Gérard nous a montré Versailles où est née ma Luba à qui je voulais faire voir sa ville natale, nous roulons pour le Pas-de-Calais et nous allons chez ma sœurette, Ginette. Ou, plus précisément, à Grande-Synthe où habite son fils, Serge. Mon Dieu, comme je suis heureuse de revoir ma sœurette ! Nous nous jetons dans les bras l'une de l'autre. Je regarde ma sœurette et je lui demande : « *On ne pleure pas ?* » Ginette pleure un peu en répondant : « *Oui.* » Chez Serge, je suis très contente. Je fais connaissance avec toute la famille de celle qui est pour moi, depuis 1946, MA sœur ! Et mon seul lien avec ma patrie et mon histoire que Ginette connaît bien puisqu'elle a vécu le même départ. Aussi, nous nous racontons nos souvenirs communs. Et aussi nos erreurs de jeunesse. Et, et… Que de bons moments passés en tête à tête avec ma Ginette et comme nous sommes heureuses de nous retrouver. Malheureusement, alors que j'ai l'impression que je viens à peine d'arriver, nous sommes déjà lundi et il faut nous préparer à nous quitter et à partir.

Épilogue

Aujourd'hui, cela fait douze jours que je suis chez moi, dans ma patrie, en France. Je suis heureuse et triste aussi. Je ne sais comment l'écrire, j'aurais voulu crier pour que tout sorte de mon corps mais j'avais trop mal au cœur de tout revoir et de penser que ma vie aurait dû être ici. Revoir tout cela trop tard me fait une grande douleur d'être sans patrie et je ne sais pourquoi le bon Dieu m'a fait toutes ces misères. Mais je reprends l'avion, heureuse de ce bonheur d'avoir regardé ma patrie, et je retourne dans mon petit village de Solntsevo où habitent mes enfants et mes petits-enfants. C'est là que je dois être pour les quelques jours de vie qui me restent à vivre.

À l'aéroport, pour me dire au revoir, il y a Gérard qui a été extraordinaire avec nous et qui nous a accompagnées gentiment pendant tout le séjour. Il y a aussi l'équipe du film, Christian, Nicolas et Xavier et mon éditrice, Delphine, qui va publier mon récit. Je suis très heureuse qu'ils soient tous avec moi. Bien sûr, je suis triste de quitter ma France, mais je dois repartir dans mon village où j'habite depuis plus de cinquante ans.

Je repars avec beaucoup d'images de ma patrie. Avec les sourires de tous mes amis du Jura dans ma tête. Plus jamais ils ne me quitteront et je me souviendrai d'eux toujours et aussi de tout ce qu'ils ont fait pour moi. M'offrir mon rêve de revoir ma patrie. Jamais je ne pourrai les remercier assez. Dans mes bagages il y a des photos, des livres, des lettres, des vêtements, des cadeaux, beaucoup de cadeaux et surtout de la terre de ma patrie. De Lons-le-Saunier, de Cousance et du jardin de la maison où j'ai habité lorsque j'étais enfant, à Orbagna. Aujourd'hui, je suis rassurée et je peux m'en retourner tranquille et calme. Je sais que je serai enterrée dans la terre de ma patrie, de mon village, et je peux maintenant mourir en paix. Adieu mes amis, adieu.

Renée VILLANCHER

ANNEXES

Liste des membres du comité de soutien à Renée Villancher

Membres bienfaiteurs

Krivochéine Nikita et Xénia, de Goursac Catherine, Mignard Suzanne, Delayat Bernard, Muzard Xénia, Revel (M. et Mme), Sergent Germaine, Jacquemin Henri, Ancian Catherine, Gabillet Jocelyne, Novak-Millet Monique, Boudet Roger, Sigaud Pierre, Chibrac Christian (M. et Mme), Villancher Paulette, Krafft Monique, Fortier (Mme), Gros (M. et Mme), Genier-Votiakov Solange, Bolard Robert (M. et Mme), Girard Jean-Pierre (M. et Mme), Tinguely Pierre, Boudier Noëlle, Ugel Yves, Monnier Josette, Grisetto Jean-Louis, Messabih Janine, Camus Jean-Yves, Segut Daniel, Roy Claude, Jacob Chantal, Gagliardi Gérard, Troupel Michel, Allavena-Guillemin Georgette, Rollet Robert, Bretin Christian (M. et Mme), Wurtzbacher Michel (M. et Mme), Cellier Claude (M. et Mme), Pinard Nicole, Girard Nicole, Guillot Denise et Jean-Yves, Matray Béatrice, Genest (M. et Mme), Gallet Michel (M. et Mme), Vouthier

Robert, Dumont Jean-Paul et Martine, Moine Gérald, Chemberland Pierre. Et tous ceux qui ont apporté un soutien matériel (autre que financier) et moral… ils sont très nombreux et nous ne pouvons tous les citer dans cette liste. Qu'ils nous pardonnent.

Membres actifs

Robardet Françoise (présidente), Chambade-Bréant Annie (trésorière), Gentet-Villancher Françoise (secrétaire), Bonnevie Marie-Thérèse, Mathieu-Coron Andrée, Viret Arlette, Viret Thérèse, Dunod Gilberte, Perrard Françoise, Fèvre Michelle, Goudot Claude, Ancian Catherine, Magnin Christiane et Clavel Bernard.

Bulletin municipal de Cousance
n° 3/été 2003

« Générosité – Solidarité

Deux mots qui ont tendance à être oubliés dans une société tout entière tournée vers le profit et la rentabilité. Pourtant, ce sont ces deux mots qui peuvent le mieux caractériser l'élan spontané d'un grand nombre de Cousançois, parallèlement aux manifestations de sympathie venues de la France entière après la création du Comité de soutien à Renée Villancher.

Rappelons, pour tous ceux qui n'auraient pu lire la presse nationale et locale, pas regardé la télévision régionale, pas écouté les différentes radios du secteur, les origines de ce mouvement :

Renée Villancher est née à Cousance en 1927. Après une enfance et une adolescence difficiles, elle a suivi en Russie, en 1946, un jeune Russe membre de la résistance jurassienne, désireux de répondre à l'appel de Staline et de retourner dans son pays. Ce retour s'est révélé être un "marché de dupes", Staline n'ayant attiré tous ceux qui s'étaient réfugiés en France après la

Révolution bolchevique que pour les soumettre à sa dictature et les envoyer au Goulag.

Très vite privée de ses papiers français, dans l'impossibilité de revenir dans son pays, Renée a eu l'immense chagrin de perdre sa mère en 1960. Cette dernière avait accompagné sa fille et le bébé mis au monde avant le départ, pour l'aider à s'installer dans son nouveau pays. Malheureusement pour elle, Marie-Angéline Bessonnat s'est retrouvée bloquée derrière le "Rideau de fer". Elle repose à présent dans le petit cimetière de Solntsevo.

Depuis cette date, Renée n'a qu'un rêve : revoir sa patrie. Rêve douloureux car impossible. Les conditions de vie difficiles de Renée et sa famille ont été révélées au hasard d'un reportage d'une équipe de télévision (reportage complété par un livre publié aux Éditions Belfond, Piégés par Staline, *de Nicolas Jallot). Comment rester indifférent et froid devant une telle détresse, un tel besoin de retrouver ses racines ?*

Offrir à cette femme, à la fin de sa vie, l'"embellie" à laquelle a droit tout être humain est le but que s'est donné le Comité créé en avril.

L'émotion fut immense, le dimanche 15 juin au Château de Chevreaux, au moment de la vente aux enchères des tableaux brossés pendant cette belle journée ensoleillée... Soleil dehors et Soleil dedans : les artistes ont merveilleusement "joué le jeu", le public a montré quant à lui que l'on pouvait, dans la joie et la bonne humeur, se mobiliser dans un élan généreux.

Dernière ligne droite pour le Comité avant le voyage de Renée Villancher, prévu fin septembre 2003. Vous aurez tous à cœur de permettre à notre compatriote de revoir une dernière fois sa terre natale, à l'image de cette Doloise qui, venant de gagner un concours, a décidé d'offrir les 600 euros dont elle avait bénéficié !

Vos dons peuvent se concrétiser :

Par chèque à l'ordre du "Comité de soutien à Renée Villancher", adressé en mairie, Grande-Rue, 39190 Cousance.

Par virement au compte postal du Comité : 20041.01004.0810619W025.05.

Merci pour elle ! »

Bulletin municipal de Cousance
n° 4/hiver 2003

« De Cousance à Solntsevo »

Impressions de voyage et témoignage de madame Françoise Robardet, Présidente du comité de soutien à Renée Villancher.

« Lorsque j'ai quitté Cousance et la France, j'avais en tête plein de clichés et d'idées reçues. J'attendais de la Russie des musiques, de la couleur, du folklore...

J'ai trouvé un Moscou américanisé à outrance, avec des enseignes lumineuses à la gloire de Coca-Cola et de MacDo. Les jeunes, croisés dans les rues, sont tout aussi garnis de "piercings" que chez nous ; ils portent les mêmes vêtements et écoutent les mêmes musiques ! Partout un luxe occidental affiché, qui contraste avec les vieux monuments. Il semble y avoir, de la part des autorités, une volonté de faire table rase d'un passé peut-être lourd à porter : les bâtiments des années 50 sont systématiquement démolis pour faire place à des logements neufs (pas d'enthousiasme dans la population : la liste d'attente pour les logements sociaux est d'environ vingt ans) et les quartiers de la périphérie de Moscou ressemblent à un immense chantier.

Comment qualifier le décalage existant entre la Capitale et les zones rurales ? Un siècle les sépare... Pendant mon voyage en voiture pour rejoindre Solntsevo, village où habite Renée Villancher-Soklakova et sa famille, j'ai pu constater partout la pauvreté des habitations, le manque d'entretien des infrastructures collectives, sauf peut-être les monuments à la gloire des combattants de la dernière guerre, qui sont dans l'ensemble assez somptueux et imposants.

À Solntsevo, on compte à peu près autant d'habitants que dans l'ensemble de notre Communauté de Communes ; il s'agit plutôt d'un ensemble de hameaux dispersés. Les maisons sont en bois, recouvertes de tôle ondulée. Quelques-unes, plus rares, sont en briques peintes. Les matériaux de construction coûtent cher (Renée m'a confié qu'elle achetait régulièrement quelques briques pour permettre un jour à son fils Edouard de se bâtir une maison plus confortable et plus jolie).

La maison de Renée Villancher, peinte en bleu par ses soins, se trouve tout près des quelques magasins, du marché et du Dispensaire. Il n'y a pas d'eau courante dans les maisons et, bien entendu, pas de sanitaires ; tous les cinquante mètres, une pompe alimente les habitants. On vient chercher l'eau avec des brocs et des seaux pour sa consommation journalière ; inutile de vous décrire les problèmes posés pendant l'hiver lorsqu'il faut marcher sur le verglas et revenir avec les seaux ! En réalité, ces "pompes" sont des puits. L'hiver, on soulève la trappe et on les utilise comme des puits à l'ancienne en ressortant le seau à la force des bras...

Les magasins ne proposent que quelques victuailles : saucisses et vodka souvent pour tout approvisionnement. Chocolats et denrées périssables sont vendus bien après leur date limite de consommation... Au marché, pas de prix affichés : on troque ou on échange ; il semble que les habitants parviennent malgré tout à trouver ce dont ils ont besoin à des prix moindres qu'à la ville.

L'essentiel de l'approvisionnement vient des jardins : chaque habitation a le sien. Ils y récoltent tout ce qui est nécessaire à la vie d'une famille : pommes de terre, choux, carottes, concombres, betteraves, quelques tomates, salades. Quelques arbres fruitiers apportent un petit plus : pommiers, framboisiers, etc.

Mon plus grand étonnement fut la rencontre avec Hélène, professeur de français à l'école du village. Elle m'a dit son bonheur de pouvoir parler notre langue avec moi, sa déception de ne pas trouver de livres de littérature moderne (la bibliothèque locale ne connaît que Victor Hugo et Guy de Maupassant) ni de journaux français. J'avoue avoir été un peu jalouse et vraiment admirative de la façon dont elle parle notre langue.

Une séquence a été tournée dans sa classe, on peut constater la qualité de ses cours et les résultats obtenus auprès de ses petits élèves.

J'ai pu savoir, grâce à elle, l'éventail des salaires par profession : elle perçoit, en tant que professeur de français, un salaire de 2 000 roubles[1] *(ce qui, apparemment, est considéré comme un très bon salaire) ; Luba, fille aînée de Renée Villancher, qui dirige un "centre pour enfants", reçoit à peine 1 300 roubles ; son fils Edouard, chef de la Milice locale, reçoit un salaire de 1 000 roubles ; un ouvrier gagne environ 600 roubles ; quant à la pension de retraite de Renée, elle est d'environ 400 roubles (depuis le tournage du film de Nicolas Jallot, et les différentes démarches effectuées auprès de l'ambassade de France à Moscou, elle reçoit en plus une aide provisoire qui correspond à environ 180 euros, mais cette aide est liée aux fluctuations du budget des services de l'ambassade et rien ne garantit son paiement tous les mois ; cette aide devrait – au moins nous l'a-t-on assuré – être "révisée" après examen "approfondi" de son dossier) ; cela nous permet d'être complètement rassurés sur l'avenir de la famille.*

J'ai relevé quelques prix, à Moscou, qui donnent une idée de ce que les Russes peuvent s'offrir avec leur salaire : dans les salons de coiffure, une coupe de cheveux coûte 220 roubles, une "permanente" 275 roubles. Pour s'offrir un

1. 1 euro = 34 roubles.

Coca-Cola dans un bar, il faut débourser 40 roubles ; pour un quart de vin rouge : 280 roubles ; quant au whisky, il est quasiment inabordable puisqu'il en coûte 550 roubles.

Renée et Luba ont été horrifiées des prix pratiqués au restaurant de l'hôtel dans lequel nous avons logé à Moscou (hôtel pour touristes) : un plat de spaghettis était affiché 400 roubles, une bouteille de bordeaux rouge 1 200 roubles, une coupe de fraises à la crème 330 roubles. Quant aux sandwichs, ils coûtaient 330 roubles. Inconcevable pour un Russe moyen !

J'ai longuement hésité avant de poser une question qui me perturbait depuis mon arrivée : pourquoi y a-t-il un poste de télévision dans chaque maison alors que le niveau de vie est si bas ? Il semble que ce soit un équipement à la portée de tous ; renseignements pris, un poste de télévision dans les années 50 à 70 coûtait quelque chose comme l'équivalent de 1 ou 2 euros. On peut supposer qu'il diffuse une certaine forme de propagande et que cela doit être bien utile pour les contrées éloignées de Moscou. À Solntsevo, on ne capte que deux chaînes : la télévision d'État de la Télévision de Koursk (pas même la chaîne nationale moscovite) et une chaîne diffusant la propagande du Gouverneur de Koursk. Pas de conclusion hâtive, mais on ne peut pas nier une certaine évidence !

Il n'y a pas, de la part des Russes que j'ai rencontrés, de désir de se plaindre, de comparer leur vie à la nôtre ; certes, ils reconnaissent qu'ils vivraient mieux s'ils pouvaient acheter plus de charbon et de bois pour l'hiver, que la vie serait plus facile si l'eau coulait à l'intérieur des maisons, que certaines choses seraient facilitées par le téléphone dans chaque famille. Rien n'est venu gâcher la chaleur de leur accueil : dès qu'ils ont appris mon arrivée, tous les voisins sont venus me saluer, me toucher, remercier à travers moi tous ceux qui permettaient à "Renée la Française" de revoir une dernière fois son pays.

À mon retour à Cousance, mon premier geste a été d'ouvrir le robinet du lavabo, de faire couler l'eau froide, l'eau chaude. Ce geste-là est malheureusement devenu d'une telle banalité !

Je me suis rendu compte, là-bas, que notre vie était somme toute agréable, que nous nous plaignons souvent sans raison valable. Apprécions donc ce que nous avons à sa juste valeur.

Je n'oublierai pas Solntsevo, ses pompes à eau et ses maisons sans isolation !

Françoise »

Table

Composé par Nord Compo
à Villeneuve-d'Ascq

Cet ouvrage a été imprimé par

FIRMIN DIDOT

GROUPE CPI

Mesnil-sur-l'Estrée

pour le compte de France Loisirs
en octobre 2004

Imprimé en France
Dépôt légal : novembre 2004
N° d'édition : 41596 - N° d'impression : 70529